失敗事例でわかる！

民事保全・執行の
ゴールデンルール30
改訂版

弁護士 **野村 創** [著]

JN042279

学陽書房

改訂にあたって

　相も変わらず保全・執行事件をこなしています。

　本書の初版を出版してから早くも４年が経ちました。この間、保全・執行業界？　を賑わす大きな変化といえば、令和２年４月１日に改正民事執行法（令和元年法律第２号）が施行されたことでしょう。

　初版の余録でもごく簡単に改正のポイントをまとめましたが、やはり改正の肝（キモ）は、第三者からの情報取得手続でしょう。改正前は、そこまでやるとは思っていなかったのですが、このはしがきを書いている時点（令和６年９月）で18件の申立てをやってしまいました。主に預貯金を対象とする申立てですが、費用対効果の点でなかなか使い勝手の良い制度と実感しました。なので、この間培った若干のノウハウを含めて新たに書き下ろした方が良いと思い、第３章19として加えました。

　これだけの改訂では物足りないので、なんかネタがないかと考えていたところ、たまたま、債務名義は１通ですが、被告が複数（連帯債務関係）いる事件の執行が相次ぎました。そうすると、被告全員を対象とするのか、一部だけにするのか、一部に限定したとして、二次執行はするのかしないのか、執行事件として複数の被告に対する申立てを併合できるかどうか等に応じて、執行文の付与の受け方を工夫しないと、失敗となり得るケースがあることに思い至り（第３章24で詳しく書いてます）、もう一つ加えました。

　この書き下ろし２つを初版に加えると32個になってしまい、「ゴールデンルール30」ではなくなってしまうため、やむなく初版の第３章19と第３章24は削除しました。

　このほか、江原健志・品川英基編著『民事保全の実務（上・下）〔第４版〕』（金融財政事情研究会、2021年）が出版され、東京地裁の実務運用が明確に示された箇所、細かい法改正に伴う箇所、その他の訂正を行いました。

　「改訂にあたって」の頁が余ったので、本文に入れようかと思いまし

たが、普遍性・一般性がなく断念したエピソードを書きます。

　送達がらみなのですが、「債務者への送達ができない」ということで執行裁判所から調査を命じられました。ただその時点で、債務者が逮捕されたとの報道に接していました。

　この場合の送達先は刑事施設の長になりますが（民執法20条、民訴法102条3項）、報道だけではどこに留置されているのか分からない。そこで、報道を頼りに令状発付裁判所の当たりをつけて、当該裁判所を照会先とする弁護士法23条の2の照会を行った結果、勾留場所が回答されました（当職、この照会請求を10件以上やってますが、回答拒否はありません）。

　めでたし、めでたしで再送達の上申を行ったら、執行裁判所から、「また不送達になった」と、理由は「接見禁止（刑訴法81条）が付いているので留置係が受け取り拒否した」とのことでした。留置係に受け取ってもらうためには、接見禁止の一部解除申請が必要になりまして、過去ある裁判所では書記官の方でその手続をしてくれたのですが、当該執行裁判所は、「申立人の方で申請してくれ」とのことでした。

　刑事事件と無関係な第三者の立場で接見禁止解除できるかな？　と思いつつ、事件番号と係属部を調べて（公判請求されてたので教えてくれた）、接見禁止の一部解除の申請をしたら、3日後くらいに一部解除の決定を頂くことができました。これを執行裁判所に連絡して、再送達の上申を行ったところ、やっと送達ができました。というお話です。

【プレ・これがゴールデンルールだ！】
留置場所を弁護士照会する場合の照会先は、裁判所だ！
接見禁止が付いていても、その理由が「送達のため」であれば、申立人でも接見禁止の一部解除の申請ができる！

令和6年9月

弁護士　野村　創

初版はしがき

当職は、保全・執行事件が大好きです。なんなら、もう他の事件はいいので、保全執行だけやっていたいです。

なぜそんなに好きなのか？　と問われれば、なんといっても結論が出るのが早いことです。仮差押えであれば、申立書を起案して裁判官面接を行えば、ほぼその場で発令されるかどうかの結論が分かります。早ければ数日です。強制競売事件でも10日もあれば、開始決定の発令という形で結論が分かります。弁論準備だ調停期日だと時間を要しません。シンプルかつ迅速に結論が分かる。これが保全・執行事件の醍醐味です。

逆をいえば、ミスもすぐに分かる上、速度が要求される分、ミスって手遅れになってしまうリスクも極めて高いです。

そんな保全・執行事件好きの当職ですが、弁護士登録直後は全くその知識がなく、右往左往の連続でした。例えば、債権仮差押事件で保全の必要性を全く考えずに申立てをして、面接した裁判官から「債務者住所地の不動産登記簿謄本（当時）とブルーマップを出してください」と言われ、意味が分からなかったり（詳しくは本書第3章18をご参照ください）、書記官からいろいろとツッコミを入れられたりしましたが、教科書や体系書を読んでも記述が平板で、実務でのポイントはどこか？　どうすれば上手くゆくのか？　は皆目分からず、後で読み返して「そういうことを言っていたのか、ゴシックで書いてよ」と思うことも度々でした。

保全・執行事件は、極めて実務的かつ技術的な分野ですが、理論と実務の架橋がうまくできていないという思いとミスったときの恐ろしさは常々感じていました。

このような思いから、本書は、まだ無知で無垢であった若かりし頃の自分に向けて、約20年の経験で培ったノウハウとヒヤリハットを30のルールにまとめ、「ここ気をつけろよ、こうすればミスを防げるよ」ということを伝える気持ちで書きました。

読者の皆様は、当時の当職よりはるかに研鑽されていると思いますが、保全・執行事件の実務に現れる論点の整理そして失敗を防ぐノウハウは参考になると思います。少なくとも、実務上のノウハウについて、ここまで書いた類書はないと自負しています。

　本書の使い方ですが、前述の本書の趣旨・特色からして、理論書、体系書ではありません。したがって、初学者に近く、基礎知識を付けたいという方は、まず基本書（司法研修所で配布される教材が一番コンパクトでよいです）を読んでから本書をお読みいただくと、基本書の記述がより立体的に理解できると思います。

　「基本は分かってた。実践だ」という方は、本書を頭から読んでいただいてもよいのですが、目次から該当箇所をピックアップしてお使いください。例えば、保証人に対する債権仮差押事件の参考にするのであれば、第1章9と第3章18といった具合です。

　「理論は分かっているのだが、具体的イメージが湧かない」という方は、拙著で恐縮ですが、『事例に学ぶ保全・執行入門』（民事法研究会、2013年）をまずお読みいただくとイメージがつかめると思います。同書をさらに深掘りし発展させたものが本書ですので、併せて本書をお読みいただくと保全・執行事件のアウトラインは、ほぼつかめると思います。

　なお、本書の失敗事例について、「現実的にこんなこと起こりえない」「こんな失敗を普通はしない」「他の手段もある」「矛盾がある」等のご批判もあろうかと思いますが、論点や教訓を導き出すための空想の産物ですので、ご海容いただければと思います。

　最後に、本書を上梓する機会を与えてくださった学陽書房の大上真佑氏にこの場を借りて深く御礼を申し上げます。

　令和2年1月

　　　　　　　　　　　　　　　　　　　弁護士　野村　創

第1章　保全事件の申立てにまつわる失敗

第3章 債権等の仮差押え、執行事件にまつわる失敗

第4章 仮処分、明渡執行事件等にまつわる失敗

凡　例

　法令等の内容は、2024年9月現在施行のものによります。

　本文中、法令等および資料、判例を略記した箇所があります。次の略記表を参照してください。

■法令その他

〈略記〉	〈法令名等〉
民執法	民事執行法
民保法	民事保全法
民訴法	民事訴訟法
民執規	民事執行規則
民保規	民事保全規則
民執令	民事執行法施行令
不登法	不動産登記法
不登令	不動産登記令
区分所有法	建物の区分所有等に関する法律
プロバイダ責任制限法	特定電気通信役務提供者の損害賠償責任の制限及び発信者情報の開示に関する法律

■判例

最判（決）	最高裁判所判決（決定）
高判（決）	高等裁判所判決（決定）

■資料

民集	最高裁判所民事判例集・大審院民事判例集
集民	最高裁判所裁判集民事
判時	判例時報
判タ	判例タイムズ

〈判例の表記〉

　判例の表記については、以下のように略記して示しています。

（例）最高裁判所判決昭和46年1月21日最高裁判所民事判例集25巻1号25頁

　　　→最判昭46.1.21民集25巻1号25頁

保全事件の申立てに
まつわる失敗

① 逆から考えろ

〈回収・執行可能性〉 • ▶

失敗事例 完全勝訴なのにお金を取れない

　Xさんは、自宅のリフォームをインターネットで見つけた施工業者であるY工務店に依頼しました。リフォーム工事は終わり、Xさんは代金全額を支払いましたが、その後、自宅の壁が結露し、カビが大量に発生するようになりました。Xさんは、Y工務店の施工ミスと思い、Y工務店に工事の手直しと損害賠償を求めましたが、Y工務店は、「元々の自宅の施工が悪かったのであって、当社に責任はない」の一点張りでした。頭にきたXさんは、新進気鋭の甲弁護士に「勝てるなら裁判してほしい」と依頼しました。

　甲弁護士は、直ちにXさんの自宅を詳細に検分し、建築紛争にまつわる判例を調べ、さらには建築の専門書を読みあさり、Y工務店の施工上のミス（建築瑕疵）があると断定し、勝訴見込みがあるということでXさんに報告したところ、訴訟提起する運びとなりました。

　訴訟提起後、ややこしい建築紛争の審理をこなし、途中Y工務店から請求額の3割を支払うという和解の提案もありましたが、少な過ぎるとしてこれを蹴って、判決となりました。甲弁護士の読みどおり全面勝訴し、甲弁護士は、喜び勇んでXさんに勝訴の報告と報酬を……と話したところ、Xさんから「で、先生、報酬はいいが、いつ私はお金をもらえるの？」と尋ねられましたが、結果的に工務店は実質倒産状態となり、回収は絶望的である旨報告せざるを得ませんでした。Xさんは烈火のごとく怒り、甲弁護士に「無駄金を使っただけじゃないか。金返せ！」と激しく詰め寄りました。甲弁護士は心の中で「取れるといっていない。勝てるといっただけだ」とつぶやくのが精一杯でした。

1 失敗の原因

まずはこの事例で保全・執行の基礎をご説明します。

依頼者は、勝てるイコールお金が返ってくると思っている人が多いですね。裁判して判決を取れば自動的にお金が戻ってくる、と考えるのが素朴な市民感覚なのかもしれません。甲弁護士の失敗は、建築瑕疵という法律論的にも事実認定的にも難しくて、その反面弁護士的には面白い事案に目を奪われ、回収可能性を検討していなかったこと、そして、上記のような依頼者の傾向を失念し、十分な説明をしなかったことにつきます。もっとも、十分に説明しても、現実的に成果が出ないと不平不満をいい、クレームをつけてくる依頼者も、数が多いとはいいませんが、存在するのは事実ですので、一つの割り切りとして回収可能性が見通せない事件は、受任しないという方針も考えられます。

2 逆から考える＝結果から考える

一般的な民事事件のフローとしては、以下の図のようなものになるかと思います。

■民事事件のフロー

受任通知・内容証明等で宣戦布告して、相手方と交渉して、まとまればよし。まとまらなければ訴訟・調停等の法的手続を経て、判決等で白黒つけて、執行して解決。オプションとして、仮差押え・仮処分等の保全を噛ます。という感じでしょうか。

時系列的にはこのとおりでしょうが、事件処理にあたっては、常に**逆に考えてください**。次の図のとおり、結果から原因へ、です。

まず、執行を考え、次に保全、勝訴見通しを判断して、オプション

（選択肢）として、交渉でいくのか、いきなり訴訟提起するのか、調停を挟んでみるのか、あるいはそもそも論として受任すべきなのか？と考えるようにしてください。

■逆から考える

執行 → 保全 → 判決等 → 訴訟等 → 受任通知等

3　金銭債権請求事件の具体例

逆から考えるということは、どういうことか？　もう少し説明します。

民事紛争の究極の解決策は、訴訟による判決です。判決で紛争に白黒つきますし、離婚訴訟のように判決を取ればそれで（離婚という）目的を達成できる紛争もあります。

しかし、ドラスティックないい方をすれば、判決は単なる紙切れににすぎません。基本的にそれ自体に何の価値もなく、お金に換えられるわけでもありません。

では、判決の意義は何かと問われれば、当職はよく依頼者にこう説明します。「**それは、強制執行をするためのお墨付きである。国家権力を借りて強制的に相手方からお金を取るためのパスポートである**」と。それを法的にいえば、判決とは、債務名義（民執法22条）の一種であるということです。判決の意義は、債務名義性を有することにあるといえます。

ですので、この債務名義を使って、何ができるのか、どうやって回収するのかということをまず考える必要があります。金銭債権の請求事件を例にすれば、まずは、相手方に執行可能財産があるかないかを検討します。預貯金・証券口座・給与・保険解約返戻金・賃料・売掛金等の債権、土地・建物等の不動産、商品在庫等の動産等の存否です。

これらの資産があったとして、現実的に回収可能かを次に考えます。債権であれば、反対債権はないか？　流動性はあるか？　等を考えま

す。不動産であれば、担保権等は付着していないか？　公的規制（市街化調整地区等）等による売却阻害要因はないか？　動産類であれば、そもそも換価（流通）可能性があるか？　等です。

　回収可能性が肯定されれば、次に費用対効果を考えます。執行に要する費用（民執法42条の執行費用のみならず、その他費用も含みます）および労力に見合う回収ができるかどうかの判断です。不動産の強制執行の場合、予想以上に費用がかかりますよ（**第2章11**（78頁）参照）。

　コストを勘案してもいける！　と判断すれば、保全措置（仮差押え）をとっておくかの検討をします。これは当然なすべきなのですが、保全保証金（担保）が結構かかりますので、依頼者の予算と財産隠匿・散逸リスクとの相談となります。

　これらの判断を経て、最後の仕上げで、勝訴可能性、法律構成や立証方法を考えるということになります。ちなみに当職は、99％勝てるという事案でも回収可能性が見通せない場合は、そのことを依頼者に説明の上で、静観することを推奨するようにしています。その方が不要な弁護士費用等がかからない分、依頼者にとって得だと考えるからです。それでもやってほしいと頼まれた場合、**お金をドブに捨てることになりますよ**、と説明し、理解してもらった上で受任します。

　以上をまとめますと、下図のとおりとなります。

■金銭債権請求事件の考え方

資産の存否	そもそも資産があるか？
↓	
資産の回収可能性	換価価値・流通可能性
↓	
費用対効果	執行の費用と回収見込額
↓	
保全の要否	保全保証金と資産隠匿等リスク

4 非金銭債権請求事件の具体例

　上記では金銭債権の請求事件を例にしましたが、非金銭債権の請求事件、これは執行方法として民事執行法2章3節による執行方法が予定される事件ですが、これについても考え方は同じです。逆から考える。結果から原因へ、です。

　典型例としては、賃料不払い解除による建物明渡請求事件や所有権に基づく建物収去土地明渡訴訟等があげられます。この類型の場合、全く強制執行ができないということはあまり考えられないのですが、費用対効果や保全措置という点で、結果から原因へと考える必要があります。

　建物明渡訴訟の場合、明渡しの催告（民執法168条の2）を経た上で、最終的には断行執行として、強制的に貸室内の動産類を撤去し、占有者を追い出し、鍵の付け替えをするのですが、執行の費用（執行費用のみならずいわゆる執行屋さんに支払う料金等）がものすごくかかります。

　当職の経験では、いわゆるゴミ屋敷で300万円近くかかったケースもあります。そうはいっても最終解決のためには避けられない負担なのですが、依頼者に、相当高額の費用がかかり、その回収見込みはまずないことをよく説明しておく必要があります。あるいは、執行の費用を見積もった上で、その金額以下での立退料の提供による任意和解を最適解として奨める必要もあるかもしれません。占有者が分からない、あるいはころころと変わるといった場合、占有移転禁止の仮処分（民保法25条の2、62条）は必須になります。それを怠ると二度三度と訴訟提起せざるを得ない羽目に陥ります。

こうすればよかった

　甲弁護士は、建築瑕疵という一大論点に目を奪われてしまいましたが、まずXさんと面談した際に、Y工務店の資料についてもっとよく聴取し、可能な資産調査等をすべきでした。例えば、代金を支払ったのですからそれが振り込みであればY工務店の預金口座は突き止めら

れる可能性がありました。あるいは、Y工務店の本店所在地や代表者の住所地の不動産登記情報を調べる等が考えられます。

その上で、回収見通しが立たないようであれば、それを説明し、十分に納得してもらった上で（委任契約書の特約に記載する等）受任すべきでした。

また、訴訟審理中に相手方から和解の提案がなされましたが、回収可能性を勘案すれば、0円よりましということで受け入れる余地はありました。

☀ これがゴールデンルールだ！

判決は紙切れにすぎない。回収可能性・執行可能性があるか、常に結果（逆）から考える。回収可能性等がないのであれば、受けないあるいは依頼者に十分納得してもらって受任する。

「権利」より「必要性」

〈保全の必要性〉 ••••••••••••••••••••••••••••••••••••••►

失敗事例 被保全権利だけでは不十分

Ｘさんは、自己所有のオートバイを知人のＹに50万円で売却し、代金支払については30万円を頭金で支払い、残金20万円は、Ｙのボーナスが支給される３ヶ月後にするという契約内容になりました。Ｘさんは、知人であったこともあり、この条件を受け入れましたが、一抹の不安があったため、売買契約書をきちんと作り、実印を押印してもらった上、印鑑証明書も提出してもらいました。その上で、Ｘさんは、頭金30万円の支払いを受けるのと引き換えにオートバイを引き渡し、引渡完了証も受領しました。

３ヶ月後の残金支払期日が来ましたが、Ｙさんはオートバイが気に食わないなどと難癖をつけて残金20万円を支払ってくれなかったので、Ｘさんは、甲弁護士に残金の回収を依頼しました。甲弁護士がＸさんに、Ｙの資産状況を聞くと、自宅マンションがあるとの回答でした。

甲弁護士は、証拠は堅いし、資産はあるし、「しめた！」と思い、自宅マンションの仮差押えを申し立てました。仮差押えの裁判官面接で、裁判官は甲弁護士にこう言いました。「先生、対象の不動産ですが、固定資産税評価額で3000万円ありますね。請求債権はおいくらですか？ 20万円ですね。ちょっとこのままでは保全の必要性があるとはいえませんので、保全の必要性を追加で調査いただくか、取り下げを検討していただく方がいいかもしれません」

Ｙさんはサラリーマンで現在も勤続しており、資産隠匿行為を行うような具体的な事情もありませんでした。

甲弁護士は泣く泣く仮差押えの申立てを取り下げました。

解説

1 失敗の原因

　証拠は堅いし勝訴間違いなし。しかも資産があるとなると、思わず「やった！」と喜んでしまいます。しかし、保全事件は、被保全権利の存在だけでなく、**保全の必要性も要件とされています**。当職の感覚では、保全の審理というものは、ほぼこの保全の必要性の判断がメインといっても過言ではないと思います。ですので、保全事件を考える場合には、とにもかくにも保全の必要性があるかないか、その疎明をどうするかそこに注力しています。

　本件事例での甲弁護士は、保全の必要性という重大要件を失念していたか、検討しているそぶりがありません。結果として取り下げ勧告を受けてしまい、無駄な労力と費用を使ってしまいました。

2 民事保全の概要

① 概説

　簡単に民事保全法に基づく保全事件を見てみましょう。体系的には、仮差押えと仮処分があり、仮処分にはさらに係争物に関する仮処分（**第4章25**（164頁）参照）と仮の地位を定める仮処分（**第4章28**（186頁）参照）に分けられます。以下の図のとおりです。

■保全の体系

- ・仮差押え（民保法20条）
  　金銭の回収のために事前に財産を凍結する制度
- ・仮処分
  - ・係争物に関する仮処分＝係争物仮処分（民保法23条1項）
    　明渡訴訟等に関して、当事者恒定効を得る制度
  - ・仮の地位を定める仮処分＝仮地位仮処分（民保法23条2項）
    　暫定的に権利実現を図る制度

② 保全専門部

　この仮差押えおよび仮処分をひとくくりにして、保全事件といっています。大規模庁では、専門部としての保全部がありますので、

そこで審理を行います。具体的には、東京地裁であれば民事第9部、大阪地裁であれば第1民事部、名古屋地裁であれば民事第2部（執行センター）、福岡地裁であれば民事第4部、札幌地裁であれば民事第4部となります。

③ 仮差押え

すでに書いたとおり、金銭債権請求の場合の保全制度です。訴訟（保全事件では本案または本案の訴えといいます）を提起し、判決を取得し、強制執行（保全事件では本執行といいます）する時点において、対象となる資産、例えば不動産の名義が被告名義から第三者名義に変わっていたような場合、本執行できません。そこで、本案判決の前に、対象資産の処分等を禁止し、資産を凍結して、本執行が執行不能に陥らないようにする制度です。あくまで「仮」ですので換価・配当には進みません。

お金の回収のために使う制度ですので、明渡請求のような場合には使えません。

④ 係争物に関する仮処分（係争物仮処分）

本書では「係争物仮処分」といっていますが、これは当職の造語ですので、公には、正しく**「係争物に関する仮処分」**といった方がいいです。

これは、明渡請求訴訟や登記請求訴訟のように、**物の引渡し・明渡し・登記**のために使う制度です。お金の回収には使えません。

その本質は、当事者恒定効を付与する点にあります。これについては、**第4章25**で詳述します。

⑤ 仮の地位を定める仮処分（仮地位仮処分）

本書では「仮地位仮処分」といっていますが、これも造語ですので、**「仮の地位を定める仮処分」**と公にはいった方がいいでしょう。

これは、暫定的に権利実現をはかってしまう制度です。近時ですと、原発の再稼働を止めた仮処分がありました。典型例としては、街宣活動禁止の仮処分、建築禁止の仮処分、賃金仮払いの仮処分等があります。判決を先取りしてしまうので、**満足的仮処分**などとも

いいます。

3　保全事件の要件

上記③〜⑤の保全事件の類型がありますが、その全てに共通する要件としては（その趣旨を書くのは当然として）、**①保全すべき権利または権利関係と②保全の必要性です**（民保法13条1項）。

①は、まとめて被保全権利といい、②はそのまま保全の必要性といっています。そして、この①②の要件については、**疎明する必要**があります（同条2項）。

保全事件の特色の一つに、**密行性**ということがあげられます。これは、原則として、債務者側の主張・疎明を聞かずに、債権者側の主張・疎明のみで保全事件の決定を行うということです。そうしないとこちらの意図が債務者にバレてしまいますから。一方当事者の言い分のみで相手方の資産を凍結させてしまう制度になりますので、債務者の立場に立って考えてみると、結構恐ろしい制度です。この債務者への打撃を軽減させるため、あるいは債務者の権利保障のため、後に述べる立担保の制度（民保法4条）と、権利の存在のみならず、その保全の必要性を要件とする建て付けになっています。

このように、保全事件における保全の必要性要件は、保全事件の要（かなめ）といえます。被保全権利を主張・疎明するのは当然ですので、その意味で、**権利より保全の必要性を重視すべし**との命題が導かれます。

■保全の要件

> ①　被保全権利　＜　②　**保全の必要性**

4　疎明のレベル

疎明とは、**立証（確信に至る程度の事実に関する高度の蓋然性）よりは証明度が軽減されたもの**で、そのレベル的には一応確からしい程度といわれています。あえて数値的に示せば、50％以上の蓋然性とい

うことになるかと思います。当職の経験ですが、保全命令の理由中に「○○という事実が一応認められる。」などと書かれることが多いです。余談ですが、これを読んだ依頼者が「裁判所ともあろうものが一応で判断していいのか！」とお怒りになり、説明するのに難儀したことがあります。

ただ、保全の必要性の疎明レベルですが、**保全事件の類型ごとに、あるいは被保全権利の疎明度との相関関係で極めて流動的なもの**だと思ってください。例えば、先ほどの原発再稼働停止仮処分などの仮地位仮処分の場合ですと、本案訴訟を行っていないにもかかわらず権利実現を認めてしまうのですから、ほぼ証明レベルが要求されるでしょう。一方、仮差押事件では、被保全権利が証明レベルで立証できていると、保全の必要性に関しては、疎明レベルがある程度緩和される傾向にあります。

いずれにしても、保全事件の要件は2本立てであり、とりわけ保全の必要性、その疎明が極めて重要だということを押さえておいてください。

5　仮差押事件における保全の必要性の考え方

① 一般論

この場合の保全の必要性は、「強制執行をすることができなくなるおそれがあるとき、又は強制執行をするのに著しい困難を生ずるおそれがあるとき」（民保法20条1項）です。実務的には、条文にある2個の要件はあまり区別せず、当職は、申立書には、「執行不能の蓋然性がある。」等と書きます。

具体的には、不動産の名義を替えたり、売却して現金化したり、預金を全額引き落としたり、生命保険を解約して解約返戻金を受け取ったり等の、資産隠匿・散逸行為を行っていること、あるいは行う蓋然性があることとなります。詐害行為や否認行為を行うおそれ、といった方がわかりやすいでしょうか。

これらの行為を現に行っているのであれば、例えば、当職の経験

でいうと、複数ある物件の一つについて、期限の利益喪失日の数日後に親族に持分譲渡がなされていたようなケースであれば、資産隠匿行為をまたやる蓋然性が高いといえます。

そこまで明々白々ではない場合ですと、資産隠匿・散逸行為を行う一種の間接事実として、「めぼしい資産の額が仮差押えの請求債権に満たない」「仮差押えの請求債権以外に多数の債務を抱えている」「資金繰りの悪化・赤字決算・営業停止」「仕事を辞めた」「倒産情報やその噂がある」「整理屋のようないかがわしい輩との黒い噂がある」といった事実を疎明していくことになります。

■保全の必要性の疎明

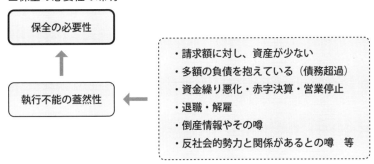

② **対象資産ごとの保全の必要性の強弱**

仮差押えの対象となる資産、典型的には、不動産、債権および動産が考えられますが、この対象資産に応じて、保全の必要性の判断枠組み、疎明レベルが異なってきます。これについては、**第3章18**（124頁）でまた詳述します。

③ **被保全権利との関係**

被保全権利に物的担保が設定されている場合、例えば抵当権が設定されているような場合ですが、この場合、いわゆる**保全不足**とかアンカバー部分といわれる範囲に限って、**保全の必要性が認められる**ことになります。

例えば、1000万円の貸金債権に同額の抵当権の設定がなされている場合、当該抵当物件の担保評価額（実務的には固定資産評価証明

書を用いる場合が多いです）が600万円にすぎなければ、当該抵当権でカバーされない400万円についてのみ保全の必要性が肯定されることとなります。

　その理屈でいえば、被保全債権に保証人が付いている場合はどうか？　という疑問が生じますが、これについては**第1章9**（64頁）で詳述します。

6　仮処分事件における保全の必要性の考え方

①　係争物仮処分

　既述のとおり係争物仮処分の目的および効果は、**当事者恒定効**にあり（**第4章25参照**）、この手続以外では当事者恒定効を取得できません。例えば、所有権移転登記請求事件において、仮処分を経ずに本案訴訟を提起し、その審理中に被告が登記名義を第三者Aに移転してしまうと、認容判決を得ても、原告名義への所有権移転登記はできなくなり、第三者Aに対して、別訴を提起する必要が生じます。これを防ぐ手段としては、処分禁止の仮処分しかありません。

　そのため、**係争物仮処分における保全の必要性は、仮差押えに比して、抽象的なもので足ります**。極論すると、被保全権利が堅ければ、保全の必要性は一応、認められるといってもよいかもしれません。

　具体的な申立書の記載の仕方としては、次のようになります。

　「債権者は債務者に対し、○○請求訴訟を提起するべく準備中であるが、もし債務者が本件物件を譲渡、処分してしまうと、債権者が勝訴判決を得てもその執行が不可能となる。」

　これをベースに、債務者が物件を処分してしまうおそれがある事情を付加すれば十分だと思います。

②　仮地位仮処分

　仮地位仮処分に関しては、その事件類型ごとに保全の必要性を検討していく必要がありますが（賃金仮払仮処分に関しては**第4章28**で詳述します）、一般論としていえば、この仮処分は満足的仮処分

であり、本案判決を先取りするものです。要件としても「著しい損害又は急迫の危険を避けるため」（民保法23条2項）となっていますから、極めて高度な保全の必要性が要求されます。

　いい換えると、「債権者に落ち度なく、後の金銭的補償では回復できないあるいは相当ではない損害や危険があること」を疎明（証明）しなければならないといえるでしょう。

こうすればよかった

　甲弁護士は、被保全権利の前に、保全の必要性があるかどうかをまず確認すべきでした。本件事例では、Ｙには自宅があるということが分かっていたのですから、まずはその登記情報を確認し、その評価額をインターネットの不動産売買情報等で構わないので把握しておくべきでした。そうすれば、請求債権額に比して、自宅の剰余価値が大きすぎて保全の必要性に懸念があるということが事前に分かったのですから、無駄な申立てを防げたといえます。

✹ これがゴールデンルールだ！

　仮差押事件では、保全の必要性は手続の要（かなめ）である。その意味で被保全権利より保全の必要性を重視すべきであり、保全の必要性が認められるかをまず検討する。

③ 面接の作法に気をつけろ

〈実務の運用〉・・・・・・・・・・・・・・・・・・・・・・・・・・▶

失敗事例 裁判官面接でしどろもどろ

　甲弁護士は、弁護士として初の仮差押えの申立てを東京地裁で行うことになりました。申立書一式を民事受付係に提出してしまい、事務官から民事第9部に提出するよう諭されるなど紆余曲折ありましたが、なんとか受付してもらい、面接の予約まで進みました。

　以下、面接当日の裁判官と甲弁護士のやりとりです。

裁判官　「目録に誤記がありますので、職印で訂正印を押してください」

弁護士　「忘れました……」

裁判官　「では、発令の時に訂正してもらうとして、疎明資料の原本を
　　　　　見せてください」

弁護士　「すみません。それも忘れました……」

裁判官　「では、それも発令時にお願いします。それでは、担保100万円
　　　　　で発令したいと思いますが、担保はどうされます？」

弁護士　「払います。」

裁判官　「いえ、ボンドか供託か？」

弁護士　「ぼんど？　供託します」

裁判官　「提供期間は？」

弁護士　「余裕を持って2週間ほどください」

裁判官　「通常は1週間でお願いしてます。それを超えるような場合、
　　　　　事前に延長上申をしてもらってます」

弁護士　「では、1週間でお願いします」

　なんとも恥ずかしい思いをした甲弁護士でした。

1 失敗の原因

失敗というほどのこともない、実務上の運用とか慣習的なレベルの話にすぎず、終わってしまえば単なる笑い話ですが、恥ずかしい思いはしたくないものです。

事例として、東京地裁でのケースをあげましたが、裁判所ごとに微妙に運用が違っていたりすることも多く、結構戸惑います。

このような運用といいますか、慣例的なことを書いてある書籍はほとんどないんですよね（拙著『事例に学ぶ保全・執行入門』（民事法研究会、2013年）では少し触れています）。

恥ずかしい思いをしないために、実務上の運用的なことを少し解説していきます。

2 申立ての受付

訴状の場合、通常は民事受付係に提出しますが、東京地裁（民事9部）、東京簡裁（民事8室）、大阪地裁（第1民事部）、名古屋地裁（民事2部（執行センター））、福岡地裁（民事4部）、札幌地裁（民事4部）等、保全部がある裁判所では、当該保全部に申立書等を提出します。間違えないように。

以下は東京地裁での運用を例にします。

申立て時に提出するものは、印紙（2000円）を添付した申立書、疎明資料の写し、委任状そして添付書面です。郵券、登録免許税、目録類はこの段階ではまだ不要です。

不動産の仮差押え、不動産に対する処分禁止の仮処分等の場合、添付書面として**登記事項証明書、固定資産評価証明書**を必ず添付します（民保規20条1号）。

当事者に法人がいる場合には、当然、**当該法人の登記事項証明書**も添付します。

申立書一式を提出すると、裁判所書記官等が形式面をチェックしま

す。何か形式面で不備があれば、補正するよう指示を受けます。特に問題がなければ、面接の予約をとって終了です。

3　裁判官面接

　裁判官による債権者に対する口頭審尋を一般的に裁判官面接あるいは単に面接といっています。

　民事保全法は、**決定主義**（3条）を採用してます。ですので**口頭弁論はそもそも不要で、任意的に審尋をすることができるだけ**です（民保法7条、民訴法87条2項）。ただし、仮地位仮処分の場合は、必要的審尋事件となります（民保法23条4項）。

　審尋には特に定まった方式はありませんので、書面審尋でも口頭審尋でもよく、審尋そのものを実施しない場合の方が多いようです。

　多くの裁判所（当職の経験では、名古屋地裁、福岡地裁、札幌地裁）では、書面審尋か審尋もなく決定するケースが多いようです。このような運用の裁判所の場合、申立書一式を郵送提出すると、特段の追加疎明や補正点がない限り、電話等で担保額が告げられ、決定に至ります。

　一方で、全件面接主義をとっている裁判所もあります。当職が把握している限りでは、東京地裁、東京簡裁、大阪地裁、横浜地裁です。

　全件面接主義を採用している裁判所の場合、申立ての受付後に裁判官面接を行うことになり、基本的には受付時に面接の予約を入れることになります。郵送申立ての場合、受理後に書記官から期日調整の連絡が入ります。東京地裁の運用でいいますと、予約枠は、午前申立ての場合は、申立ての翌日の午前10時、午後1時30分となります。立て込んでいるときは翌日以降にずれ込む場合もあります。午後申立ての場合は翌々日以降です。当日面接の場合は、その日の面接も可能ですが、同様に先着順になりますので、緊急性が高い事件の場合、受付開始時刻の午前8時30分に受付に行って番号札をとっておく必要があります。

4　面接の内容

　東京地裁を例にします。面接日当日に民事第9部（東京高裁・東京地裁合同庁舎2階）の受付に行きますと、一覧表がカウンターに置いてあります。この一覧表に事件番号と名前を書いて、カウンターの後ろにある申立人待合室で待ちます。時間になると、裁判官が呼びにくるので、申立人待合室から出て左側の裁判官室に入ります。裁判官室は大部屋で、10数名の裁判官が壁を背にして裁判官室をぐるりと取り囲んでいます。

　担当裁判官の前に座ると、まず受付票を渡されます。これに担当裁判官名と事件番号が書いてあります。

　面接に際し、申立書等に不備がなく、その他問題もなければ、裁判官から担保の額をどうするか聞かれて、担保額を決定して終わりです。これがベストケースで、これを目指しましょう。

　申立書に形式的な不備がある場合、特に目録類ですが、その場で訂正を求められます。したがって、**職印を持参することは必須です。**これを忘れますと、訂正のためにもう一度裁判所に行くこととなってしまいます。ちなみに、目録類ですが、これも一種の業界用語があるので、知らないとちょっと戸惑います。略語としては、以下のとおりです。

■目録類の略語

当目	とうもく	当事者目録
請目	せいもく	請求債権目録
物目	ぶつもく	物件目録
差目	さしもく	（仮）差押債権目録

　面接が行われる場合、書証の証拠調べが行われます。証拠調べといっても、提出した証拠の写しと原本を照合するだけですが、このために証拠の原本が必要になりますので、**証拠の原本を持参することも必須です。**これも忘れますと、もう一度裁判所に行くことになります。

なお、保全事件は疎明で足りますが（民保法13条2項）、**疎明は、即時に取り調べることができる証拠によってしなければならない**（民訴法188条）とされていますので、原則として証拠調べは、即時調べることが可能な書証や検証に限られます。より詳しい説明や本人に直接話をさせた方がよいような場合は、それらの人を面接に同行し、面接の際に裁判官に直接聞いてもらうのがよいでしょう。

　これらが終わり、発令の内示を受けると、最後に担保の額等を決めます。面接の際に聞かれることは、**担保の額、提供方法、提供期間**の3つです。

　担保の額については、**第1章5**（40頁）で詳述しますが、予想していたより高額の担保の提供を求められることもありますので、ある程度の算段はつけておきましょう。

　提供方法（立担保）については、供託による方法（民保法4条1項本文）と「その他最高裁判所規則で定める方法」である支払保証委託（同項、民保規2条）による方法があります。**現在（令和6年9月現在）は、供託が一般的です。**

　支払保証委託のことを一般に「ボンド」と呼んでいます。これは、裁判所の許可を得た上で、銀行等の金融機関に担保額を保証してもらう制度です。当然、金融機関も無償で保証する訳もなく、担保と同額の定期預金をしてもらい保証料も取ります。ボンドは、バブル期の頃は盛んに使われていました。その理由は、定期預金金利が保証料よりも高く、目減りしないこと、法律事務所で手続が済んでしまう場合が多いことなどが挙げられますが、バブル後の低金利の時代、保証料が定期預金金利を上回るいわゆる逆ざやとなってしまいましたので、ボンドだと損します。現在では供託によることがほとんどだと思います。

　なお、現在（令和6年9月）は全国弁護士協同組合連合会（損保ジャパン取り扱い）がボンド事業を行っています。これは、保証料のみでOKという制度で、大きな金額を塩漬けにしなくて済むメリットがありそうですが、**保証料は、掛け捨てとなります。**

　担保提供期間については、法令上明文での期間の定めはありません

が、１週間から10日程度とするのが通例です。東京地裁の運用では７日間で、これ以上必要な場合は、延長申請により１回だけ、かつ、１週間だけ延長が認められる場合があります。ですので、７日以上の提供期間をいっても７日にされてしまいます。

5　面接後の手続

面接が終わり、立担保手続も終わると、発令手続に移ります。これについては、**第１章４**（34頁）で詳述します。

■ こうすればよかった

甲弁護士は、面接する前に、面接がどのような流れで進むか調べておけば恥をかかずに済みました。

事前にボス弁、兄弁、姉弁、同期の友人に聞いておけばよかったと思います。「そんなのいない！」という人のために、この本がありますので、是非活用してください。

あるいは、知ったかぶりをしないで、分からないことはその場で「分からないので教えてください」と言う勇気を持つことも必要です。

☀ これがゴールデンルールだ！

本には書いていない、いろいろな作法や慣習がある。
誰しも初めは分からないのが当たり前、背伸びせずに分からないことはどんどん聞いていこう。

金は予想外にかかるよ
〈登録免許税〉 • ▶

失敗事例 「追加で20万円、ご用意いただけますか……」

　甲弁護士は、不動産の仮差押事件を受任しました。

　受任に際し、甲弁護士は、依頼者のXさんから、「費用はどれくらいかかるのか？」と聞かれたので、以下のとおり答えました。

「印紙代で2000円、郵便切手が2658円（令和6年9月現在・東京地裁）と担保として物件価格の10〜20％程度です」

　申立て後、無事に発令内示をもらい、担保も供託して、発令手続（担保等の受入手続）に赴いたところ、甲弁護士は、書記官から、「登免税（とうめんぜい。登録免許税のこと）の納付がありませんが……」と言われました。甲弁護士としては、登記は書記官が嘱託でやるものだと思っていましたので、そう聞き返したところ、書記官から「嘱託で手続はやりますが、登録免許税まで負担するのではありません。登録免許税は債権者の方で準備してもらわないといけません」と言われました。

　甲弁護士が登録免許税を計算すると20万円になりました。甲弁護士が、おそるおそるXさんに20万円が追加で必要だと告げると、Xさんは烈火のごとく怒り、「だからいくらかかるのか事前に聞いたのに、さらに20万円もかかるなんて困るよ。そんなものは払う義務ない。先生の着手金から出してくれ」

　裁判所からは早く登録免許税を納付しろと催促されるし、Xさんはへそを曲げててこでも動かないし、甲弁護士は進退窮まってしまいました。

1　失敗の原因

　依頼者にお金の話をするのは難しいものです。弁護士費用のほかに手続費用としてこれぐらいかかるというと、結構引かれてしまうこともあり、まして追加で費用が必要だというと露骨に嫌みをいわれたりします。中にはXさんのように追加では一切出さないというような人も現実に存在しそうです。

　費用の見通しを説明する際は、可能な限り正確な数字を弾く必要があります。

　甲弁護士は、この費用見積もりが甘かった。根本的な原因は、登記実務に無知だったことが失敗の原因です。

2　発令手続（担保等受入手続）

　第1章3（28頁）で発令内示の手続まで説明しましたので、ここでは、その後の**発令手続（担保等受入手続）**から、説明します。

　発令内示を受けた後、まずは、担保決定で決定した担保額をその提供方法に従って、提供します。供託の場合、普通は現金を法務局に持参して供託手続を行い、供託書正本の交付を受けます。

　供託書正本をもらったら1部コピーし、郵券と目録類を併せて裁判所に提出します。このとき、保全事件の対象が不動産の場合で、**保全執行（第4章26**（174頁）で詳述します）として登記が必要な場合（典型例としては、不動産仮差押えや登記請求権を被保全債権とする処分禁止の仮処分です）、これらの場合は登録免許税も併せて納付します。その後正式に発令となります。正式発令から数日で仮差押え等の登記が入り、債務者に決定正本が送達され、保全事件としてはひとまず終了です。

　東京地裁での運用を例にすると、発令手続は、民事第9部の発令係が担当します。民事第9部の2番カウンターに行って、番号札を引き、呼ばれるのを待ちます。呼ばれたら上記のものを提出します。面接時

に追完資料を求められたり、補正等がある場合はこの時行います。なお、供託書正本は照合後その場で還付されます。供託書正本は、担保取消（**第1章7**（50頁）参照）による供託金取戻請求の際に必要になりますので大切に保管してください。

　この手続が終わると、下表のスケジュールで正式発令となります。これによって発令時刻のおよその見通しが立ちます。表を見てもらえば分かるとおり、午前11時までに供託書等の受入手続を終えられるかどうかで、発令に1日の差が出てしまいます。発令を急ぐ場合は、可能な限り迅速に担保等の受入手続を終える必要があります。

■東京地裁の発令までのスケジュール（令和6年9月現在）

供託書等の受入手続	決定正本交付時刻
午前8時30分～午前11時	当日午後4時以降 （執行官申立を要する事件は当日午後3時以降）
午前11時～午後4時 （正午～午後1時除く）	翌日午後4時以降 （執行官申立を要する事件は翌日午前11時以降）
午後4時～午後5時	翌日午後4時以降 （執行官申立を要する事件は翌日午後3時以降）

　第1章3でも触れましたが、担保提供期間は通常は1週間から10日程度です。この期間内に発令手続（担保等の受入手続）を終えないと、**保全命令の申立てが却下される場合もあります**ので（民訴法78条の類推適用）、手間取るような場合は、延長申請を忘れずにしましょう。なお、**東京地裁は、「担保提供期間内に担保が立てられないとき、却下されます。」**とそのウェブサイトで明言しています。

3　登録免許税

①　仮差押え

　不動産に対する仮差押えの執行は、仮差押えの登記をする方法によるとされ（民保法47条1項）、登記方法は、裁判所書記官が嘱託する（同条3項）、嘱託登記（不登法16条1項）の方法によります。

登記手続自体は裁判所がやってくれます。

ただ、嘱託登記は、裁判所から法務局に嘱託書を郵送する方法で行われますので、郵便事情にもよりますが、1日から数日のタイムラグが発生します。

当職の経験ですが、配当要求（**第2章17**（114頁）参照）を行うための仮差押事件で、配当要求の終期が1週間後に迫っており、なんとしてもその時までに仮差押えの登記をしなければならない事案がありました。嘱託登記を郵送で行っていては間に合わないことが確実でしたので、裁判所に相談したところ、代理人が嘱託書を受け取って、自ら法務局に持って行くという方法でもよいということとなり、発令日当日に嘱託書を法務局に持ち込み、登記を間に合わせたことがあります。例外的な扱いであると思いますので、あまり一般化はしないでください。

登記手続の主体はどうであれ、登録免許税は、債権者が負担しなければなりません。

登録免許税の額は、仮差押えの場合、

請求債権の額×1000分の4 （0.4%）

となります。

固定資産評価額は、課税標準となりませんので注意してください。これを勘違いすると、また別の失敗事例になってしまいます。請求債権が500万円で固定資産評価額100万円の土地1筆を仮差押えする場合に、うっかり土地の評価額で登録免許税を計算し、4000円で済むと思っていると、実は2万円必要だったということになってしまいます。実は当職はこれをやってしまった経験があります。言い訳をすると、次に述べますが、仮処分が続いていたのでうっかり目的物の額を基準に登録免許税額を出してしまいました。依頼者が金融機関であって、手続に慣れているので、「先生安すぎですよ」とそ

の場で言われて事なきを得ましたが。

　登録免許税の計算にあたっては、請求債権額のうち1000円未満の部分は切り捨てし、これに税率を乗じた金額のうち100円未満の部分も切り捨てして計算します。

　納付方法ですが、登録免許税額が３万円以下の場合は収入印紙で納付できます。

　３万円を超える場合は、少々複雑になります。まず、銀行等で国庫金納付書の用紙を入手します。これに所定事項を記入し、登録免許税額を添えて銀行等で納付します。納付しますと銀行は、国庫金納付書の控えを交付してくれますので、この控えを裁判所に提出します。

　国庫金納付書の記載事項のうち、悩むのが「税目番号」と「税務署番号」だと思います。税目番号は、国庫金納付書の裏面に書いてある「登録免許税」の番号である「２２１」を記載します。税務署番号は、「税務署番号　○○税務署」で検索サイトで検索すれば出てきます。例えば、麹町税務署ですと「００031017」です。所轄の税務署は、物件所在地を管轄する税務署です。これも検索サイトで検索すれば出てきます。

②　仮処分

　不動産に関する権利について、登記請求権を保全するための仮処分の執行も、処分禁止の登記をする方法によるとされ（民保法53条１項）、仮差押えと同様に、裁判所書記官が嘱託登記します（同条３項）。

　登録免許税の額は、土地建物の処分禁止の仮処分の場合、

固定資産評価額×1000分の４（0.4％）

抵当権の処分禁止の仮処分の場合、

被担保債権額×1000分の４（0.4％）

地上権・賃借権の処分禁止の仮処分の場合、

固定資産評価額×1/2×1000分の4 （0.4%）

となります。

　仮差押えと違い、請求債権額が課税標準となりませんので注意してください。もっとも、登記請求権保全の仮処分の場合、請求債権という概念はありませんけどね。

　登録免許税の計算方法および納付方法等は、仮差押えの場合と同じです。

こうすればよかった

　弁護士にとって、最低限の税法の知識は不可欠です。甲弁護士としては、まず、登記に関する最低限の税法の知識を習得しておくとともに、依頼者に費用の概算を伝える際には、慎重に、正確な数字を出すべきでした。あるいは、「あくまで概算です」と言って、多めの金額を伝えておくという便法もあります。

✴ これがゴールデンルールだ！

　保全事件の中には、登録免許税が必要な手続もある。
　金は意外とかかる。登録免許税を忘れるな！
　費用の計算は正確に、多少多めに見積もっておく。

担保の額を見誤るな

〈担保額の基準〉 ‥‥‥‥‥‥‥‥‥‥‥‥‥‥‥‥‥‥‥ ▶

失敗事例 **想定外の担保額**

　甲弁護士は、同期の友人乙弁護士から「この間、仮差押えやったんだけど、裁判官面接で交渉して担保額が10％で済んだよ。どうよ、この交渉力‼」との自慢話を聞かされました。「よし私も！」と気合いの入った甲弁護士ですが、うまい具合に預金の仮差押事件を受任しました。

　裁判官面接の際、甲弁護士は、まずは低目からと思い、裁判官に「担保は、請求債権の７％で！」と切り出してみましたが、裁判官からは、「先生それはちょっとないですね。30％で考えてますが……」との返事でした。甲弁護士は、負けじと「でも、聞いた話では10％で発令されたケースもあると聞いてますが」と切り返すと、裁判官は、ちょっと悲しげに甲弁護士を見て、「具体的な事例は分かりませんが、それは不動産の仮差押えのケースではないのですか？　それならば分かりますが、本件は預金の仮差押えで、失礼ながら疎明が堅いともいえないので、原則どおり30％と考えてますが」

　甲弁護士は、乙弁護士から何の仮差押えかまでは聞いていませんでした。お客さんにどう説明しようか考えながら「すみません。依頼者と協議しますので、一度持ち帰り検討します」と答える甲弁護士でした。

解説

1　失敗の原因

　保全事件の担保の額は、保全事件の対象、被保全権利の内容によって、ある程度の基準があります。これをよく知らなかったのが甲弁護

士最大の失敗でした。

　また、担保の額は、事案によりケースバイケースです。裁判所、裁判官によっても違います。ある事案で10％だったからといって、単純にこれがあてはまると考えてしまったことも甲弁護士の失敗です。

2　担保の性質

　民事保全法は、担保を立てさせ、または立てさせないで保全命令を発することができる（14条１項）と規定していますが、よほど特殊な事件でもない限り、**担保の提供は必至であり、要件**と思ってください。

　では、この保全事件の担保によって、何を保全しているのかといえば、保全事件が間違っていた場合に債務者に発生する損害賠償債権の担保です。

　もう少し詳しく説明します。保全事件の特色として、密行性、暫定性があげられます。密行性の表れとして、保全事件は、原則として一方当事者の主張と疎明のみで発令され、債務者側の言い分を一切聞きません。また、保全事件は、本案判決の執行で困らないようにするための暫定的制度で確定的なものではありません。**本案訴訟で債権者が敗訴することもあり得ますが、その場合、債務者は多大な打撃を受けます。**例えば、預金の仮差押えを考えてみれば、口座が凍結され、決済ができなくなります。法人の場合、資金繰りに窮し倒産にまで至りかねません。

　ある意味で保全事件は簡便に発令される反面、債務者に与える打撃は相当なものがあることから、一つの利害調整として、**違法保全により将来債務者に生じる得る損害賠償債権を保全するため、発令に際し、債権者に一定額の担保の提供を求めている**のです。

　建前は上記のとおりですが、実際上の機能として、濫用的な申立てを抑止するということもあげられます。

3　担保額基準の大まかな考え方

①　資産ごとの類型

　担保の性質が上述したようなものだとすると、担保の額は、債務者にとって打撃が大きいもの、違法保全による損害が大きいと思われるものほど高額にする必要があります。保全事件の対象となり得る資産として一般的に考えられるものは、不動産、債権、動産等があげられますが、これらの資産を仮差押えした場合、債務者が被る打撃が大きいのはどれでしょうか？　例えば、自宅等の不動産を仮差押えあるいは仮処分されたとしても、現実的には「仮差押」等の登記がなされるだけで、それ自体は大きな打撃とはいえないでしょう。一方、預貯金について仮差押え等がなされれば、口座がロックされ当面必要な現金の引き出しもできなくなりますし、引き落とし等の決済も不可能になります。極めて打撃が大きいです。動産についても、対象が商品である場合等を考えれば、やはり打撃は大きいです。

　このように、打撃の大きさを考えれば、以下の順になり、それに従い担保の額も高くなる傾向があります。

　債権・動産は高いと覚えておいてください。

■担保額の比較

$$債権 \geq 動産 > 不動産$$

②　流動性による類型

　債権としてひとくくりにしてもいろいろな資産があります。預金にしても、当座預金、普通預金、定期預金がありますし、敷金や供託金、保釈保証金等もあります。普通預金と敷金を仮差押えされた場合、債務者にとって打撃が大きいのはどちらでしょう？　普通預金は日常的に入出金が繰り返される流動性が高いものです。凍結されたら非常に困ることはこれまで書いてきたとおりです。一方、敷金は、明渡しを停止条件とする債権で、固まったままの固定資産で

す。凍結されても、もともと固まってますからそれ自体は痛くもか
ゆくもないです。

　流動性の高い資産を押さえられた方が債務者の打撃が大きいこと
は明らかですので、流動性が高い資産の方が担保の額は高くなりま
す。

　流動性が高いものは高いと覚えておいてください。

■担保額の比較（流動性に着目）

> **流動性高い** ＞ 流動性低い

③　被保全債権ごとの類型

　担保は、違法保全時の損害賠償の保全のためのものですから、敗
訴のリスクが高いほど高目に設定する必要があります。例えば、手
形金債権の場合、手形訴訟という極めて勝訴率の高い訴訟によるこ
とができるため敗訴リスクはそれほど高くありません。堅い権利と
いえます。一方で、不貞行為による慰謝料請求権はどうでしょうか？
確実に勝訴が見込める類型ではなく、勝訴しても認容額は流動的で
あって、あまり堅い権利とはいえません。敗訴リスク（一部敗訴含
む）は相応に存在します。

　**このように類型的に敗訴のリスクが高いと考えられる被保全債権
は、担保の額も高くなる傾向があります。**

　同様に、個別具体的な事件で、被保全債権の疎明が極めて高いので
あれば、敗訴リスクは低く、担保の額も低目で考えてよいでしょう。

　**堅い権利・疎明がしっかりしている権利は、低いと覚えておいて
ください。**

④　保全事件の種類ごとの類型

　仮差押えと仮処分を比べた場合、当事者恒定効しか有さない、そ
の意味で債務者への打撃が相対的に低い係争物仮処分の方が担保額
は低目になるかと思います。もっとも占有移転禁止仮処分で、執行

官保管あるいは債権者使用を許す形態の場合（**第 4 章25**（164頁）参照）、次に述べる満足的仮処分に近い性格を有することから、担保の額は高額になります。

仮地位仮処分は、満足的仮処分で、判決を先取りする極めて債務者への打撃が大きい類型ですので、**担保の額は高額化する傾向**があります。ただ、反社会的勢力を債務者とする面談禁止の仮処分や街宣禁止仮処分のように債務者の行動に正当性が認められないような事案では、担保の額は低目に、場合によっては無担保となることもあり得ます。

4　担保額算定の基礎となるもの

担保については、一般に○○の何パーセントぐらい、と書籍等に書かれていますが、この○○は何か？　という問題です。

この問題については、**目的物価格基準説と請求債権基準説**があります。読んで字のごとくですが、保全事件の目的物、例えば不動産の価格を基準とするか、あくまで請求債権の額を基準とするかの違いです。実務上の運用は、**目的物価格基準説による裁判所が多い**といわれていますし、当職の経験もそうですので、目的物の価格が基準になると考えておいてよいと思います。

なお、仮処分では請求債権額がありませんので、当然目的物の価格が基礎となりますし、請求債権額＝仮差押債権額＝目的物となる場合の債権仮差押え（**第 2 章10**（72頁）参照）および目的物を特定しない動産仮差押え（民保法21条但書）では、請求債権が算定の基準になります。

目的物が不動産の場合、その価格は、実務上は固定資産評価額、いわゆる**評価証明書**を算定の基礎としています。抵当権等が設定されている場合、剰余分が算定の基礎になります。現在の被担保債権額が判明していればそれを差し引きし、分からない場合は、登記されている債権額（極度額）を差し引きます。

5 担保基準表

司法研修所編『民事弁護教材改訂民事保全（補正版）』28 ～ 31頁に詳細な表がありますので、そちらを参照してください。

6 担保額の感覚値

あくまで当職の経験の範囲内ですが、ざっくりとした感覚でとらえたおよその担保額は、次のとおりです。

・不動産仮差押えは20％を上限として15％程度が多く、10％程度の例もある。
・債権仮差押えは、預貯金の場合30％を上限として25％程度が多い。
・供託金等では20％程度もある。
・占有移転禁止仮処分は賃料の 3 ヶ月分程度。
・登記請求権保全のための処分禁止仮処分は20％程度。
・反社会的勢力による街宣活動禁止仮処分は 5 ～ 10万円程度。

こうすればよかった

保全事件をやる以上、前掲『民事弁護教材改訂民事保全（補正版）』記載の担保基準表を確認するべきでした。また、最低限の知識として、債権仮差押えの担保額が高くなるということは知っておくべきでした。

✺ これがゴールデンルールだ！

保全事件の中で最も費用がかかるのは担保。事前に担保の額を見誤らないようにすること。
　・債権・動産は高い。
　・流動性が高いものは高い。
　・堅い権利は低い。

❻ 近くの供託所で供託
〈管外供託〉••••••••••••••••••••••••••••••••••••▶

失敗事例 無意味に札幌から名古屋まで飛ぶ羽目に

　札幌に事務所を構える甲弁護士は、急ぎの仮差押事件を受任しました。不運なことに名古屋地裁でしか管轄がとれず、時間が切迫していたことから甲弁護士自ら飛行機で名古屋地裁に赴き、申立てを行いました。

　翌日に担当裁判官から電話があり、発令の内示と担保額が伝えられたので、甲弁護士は、担保を供託しようとして札幌法務局に赴きましたが、受付担当者から「先生、これ、事件は名古屋のようですが、ここの法務局で大丈夫ですか？」と聞かれました。

　甲弁護士は、慌てていったん事務所に戻り、条文を確認したところ、名古屋法務局に供託しなければならないことに気がつきました。

　急ぎの案件であり、郵送でやっていたのでは到底間に合わないことから、甲弁護士は、再び飛行機で名古屋に赴き、供託手続を行いました。

　無事に発令はされましたが、依頼者からは、「なんで、こんなに交通費と日当が高いんだ！」とクレームを受けてしまいました。

解説

1　失敗の原因

　担保提供の場所、つまり供託すべき法務局を事前に調べておかなかったことが最大の失敗です。**保全事件は、保全申立てによる発令手続のほかに、担保の提供、対象物件によっては登録免許税の納付、保全執行、さらには担保の返還（第1章7（50頁）の担保取消）と、異な**る手続の連鎖によって進行しますので、事前に大まかでも全ての手続

のタイムスケジュールを立て、そこから、何をいつまでにやるかということを逆算して決めていくとよいです。

　本件事例では、供託すべき法務局は、札幌法務局ではなく、以下で記載するとおり、名古屋法務局です。供託の方法としては、供託書と共に供託金を提出する方法が原則ですが（供託規則20条）、供託書を郵送し、供託金を振込送金する方法（同規則20条の2）あるいはPay-easy（ペイジー）による電子納付の方法（同規則20条の3）が認められていますので、これらの手続を使えば、甲弁護士は、わざわざ名古屋まで供託しに行く必要はなかったともいえます。

　しかし、郵送で供託申請する場合、供託書を法務局に郵送する日数と、法務局から供託書正本が郵送される日数が余計にかかります。発令を急ぐ事情がある場合、あるいは担保提供期間内（原則的に1週間です）に間に合わないような場合は、郵送による供託申請ではリスクがあります。このような場合は、管轄区域外の供託許可申請を保全事件の申立てと併せて行い、最寄りの法務局で供託することの許可を得ておくと手続が楽になります。一般的に**管外供託**といっています。

2　保全事件の管轄

① **保全事件の専属管轄**

　保全事件の管轄は専属管轄とされます（民保法12条1項）。したがって、保全事件のみに関する合意管轄や応訴管轄を認めることはできません（民訴法13条1項）。

② **保全命令手続の管轄**

ⅰ　民事保全法固有の管轄

　仮差押えの**対象物もしくは係争物の所在地を管轄する裁判所**になります（民保法12条1項）。

　「物」の所在地として、注意すべき点として、物が**債権またはその他の財産権（民執法167条1項）の場合は、第三債務者の普通裁判籍に、動産等の引渡請求の場合は、その物の所在地**となります（民保法12条4項、5項）。また、対象が不動産等の権利移転に登記・

登録を要するものであるときは、登記または登録の地となります（民保法12条6項）。

ⅱ　本案の管轄裁判所

　実務上は、これによることが多いと思います。**本案訴訟提起前であれば、本案訴訟を提起すべき第1審裁判所の管轄**となり、複数ある場合は選べます（民保法12条1項）。

　したがって、**義務履行地管轄（民訴法5条1号）の規定も使える**ので、被保全債権が持参債務であれば、債権者の住所地を管轄する裁判所に保全事件の申立てができます。第1審に関する合意管轄（同法11条1項）の定めがあれば、そこも管轄裁判所となります。

　本案が控訴審に係属している場合は控訴裁判所になります（民保法12条3項）。

3　担保の提供場所

① 原則

　担保を立てるべきことを命じた裁判所（**発令裁判所**）の管轄区域内の供託所に供託することが原則となります（民保法4条1項）。

　したがって、発令裁判所が名古屋地方裁判所の場合、そこを管轄区域内とする名古屋法務局が供託所となります。

　法務局の管轄は、下記 URL で調べられます（令和6年9月現在現在）。

　http://houmukyoku.moj.go.jp/homu/static/kankatsu_index.html

② 例外－管外供託

　原則は上記①のとおりですが、遅滞なく原則どおりの供託所に供託することが困難な事由があるときは、**発令裁判所の許可を得た上で、債権者の住所地、事務所の所在地、その他裁判所が相当と認める地を管轄する地方裁判所の管轄区域内の供託所に供託することができます**（民保法14条2項）。

　「困難な事由」としては、一般的には、債権者またはその代理人の住所地等が原則とする供託所から遠方の場合です。どのくらい遠

方であれば許可されるかについては、裁判所の判断によるほかはありません。合理的な移動手段を用いても1日が潰れるような距離であれば許可されると思います。当職の経験では、東京－名古屋間では許可されました。東京－横浜間ではダメでした。

4　管外供託の方法

①　申立て時

　保全事件の申立書と一緒に「管轄区域外供託許可申立書」を提出しておきます。許可される場合、通常は、担保額決定の際に口頭で伝えられます。

②　供託時

　やり方そのものは、通常の供託と変わりありませんが、供託書の申請用紙の備考欄に「民事保全法第14条第2項の許可による供託」と記載しておきます。これだけでほかに証明書等は要りません。

③　裁判所への供託書正本の提示

　東京地裁等、供託書正本原本の持参（郵送は認めない）を求める裁判所もあります。このような運用を行う裁判所の場合、1日で全てを終えられるのであれば、原則どおりに供託して、その足で裁判所に持ち込むという方法も考えられます。

こうすればよかった

　本件事例では、管外供託の許可申請をしておけばよかった。これにつきます。

✸　これがゴールデンルールだ！

全ての手続のタイムスケジュールを事前に組んでおくこと。発令裁判所が遠い場合、近くの法務局での管外供託の許可申請をしておくこと。

7 担保が返ってこない

〈担保取消〉・・・・・・・・・・・・・・・・・・・・・・・・・・・・・・▶

失敗事例 「先生、負けても戻ってくるって言いましたよね？」

甲弁護士は、XさんからYに対する不動産の仮差押えとその本案訴訟を受任しました。

仮差押えの担保として200万円の担保決定がなされましたが、この際に甲弁護士は、Xさんから「先生、これ裁判に負けたら200万円は戻ってくるの？」と聞かれました。これに対し甲弁護士は、「ご安心ください。その場合でも権利行使催告をすれば戻ってきます」と答えました。

無事に仮差押えは発令され、本案訴訟を提起したところ、被告であるYから、Xさんの事前の説明と異なる事情やそれを裏付ける決定的な反証が提出され、原告であるXさんは、敗訴してしまいました。

甲弁護士が担保の返還を受けようとしてYに対し、権利行使催告を行ったところ、YからXさんに対し、違法な仮差押えを理由に不法行為に基づく損害賠償請求訴訟を提起され、Xさんはこの訴訟でも敗訴してしまい、200万円の担保は、戻ってきませんでした。

甲弁護士は、Xさんに「先生が負けても戻るというから仮差押えしたのに、こんなことになるなら止めておけばよかったよ」と激しくなじられてしまいました。

解説

1 失敗の原因

依頼者の説明と話が違う、聞いていない証拠が出てきたということは、よく聞く話です。その点甲弁護士に同情すべき点はあると思いま

す。

第１章５（40頁）で述べたとおり、保全事件の担保は、保全事件が違法であった場合の損害賠償請求権の担保です。したがって、**保全事件が違法であった場合（例えば本案訴訟で敗訴が確定したような場合）、戻ってこない可能性もあります。**

とはいえ、そのためには債務者は別途損害賠償請求訴訟を提起し、勝訴しなければならず、現実にはそこまで至るケースは極めてレアです。統計をとっているわけではありませんので単なる当職の感覚ですが、おそらく99％の保全事件では、担保は戻ってきていると思います。

その意味では、甲弁護士の発言もあながち間違ってはいないのですが、何事も100％はないこと、１％でもリスクがあること、そこを甲弁護士はきちんと説明すべきであったといえます。

2　担保の取戻し

混同しやすいですが、**担保の取消し（民保法４条２項、民訴法79条）と担保の取戻し（民保規17条）は、異なる概念**であり、手続です。

どう違うのかというと、**保全執行（登記、登録、第三債務者への送達、執行官の処分等）前に担保の返還を受けるのが「担保の取戻し」**、保全執行後が「担保の取消し」になります。担保の取戻しは、比較的簡易な方法で担保の返還を受けることができます。

保全事件の担保は、債務者の損害賠償請求権の担保のためのものですから、債務者に損害が生じないことが明らかであれば、担保の意味はなくなりますので、債権者に返還してもよいことになります。

保全執行に着手していなければ（具体的には、仮差押えの登記をする前など、なにがしかの理由で登記できなかった場合）これらの場合は、債務者に損害が発生しようがないといえます。ですので、簡易な方法での担保の返還を認めてもよいことになります。

もっとも、保全執行前に手続を止めるとか、登記ができなかった等の事由は、実務上はそうそうないと思いますので、あまり利用しない規定でしょう。注意すべき点として、債権仮差押えをしたが、空振り

に終わった場合、すなわち仮差押債権が存在しなかったという場合は、第三債務者への送達という保全執行自体は完了していますので、担保取戻しはできません。

担保取戻しの運用基準は、司法研修所編『民事弁護教材改訂民事保全（補正版）』114頁以下を参照してください。

3 担保の取消し

① 担保取消を認める理由

保全執行が完了した後で担保の返還を求めるためには、上記のとおり担保の取消しの手続によります。

担保の返還が認められる場合とは、違法な保全事件により債務者に損害が生じなかった場合ですから、論理的に以下の3つの事由が考えられます。

i 担保の事由が消滅したとき

例えば本案訴訟で勝訴が確定すれば、権利の存在が認められたのですから、暫定処分であった保全事件は適法であったことになりますので、基本的に損害は生じないことになります。同様に、債務者からの損害賠償請求訴訟の債務者敗訴が確定した場合、損害賠償債務の不存在が確定しますので、それ以降、担保を提供する理由はなくなります。

ii 債務者が返還に同意したとき

「返還に同意する＝損害賠償請求権を放棄する」ということですから、それ以降、担保を提供する理由はなくなります。

iii 債務者が損害賠償請求しないとき

上記 ii と同様ですが、「しない」という不作為ですから、それ自体は永続します。そこで、**一定の期間内に「しなかった」ということが必要になります。**

② 担保取消事由

上記 i 〜 iii の3つの事由に応じて、以下のとおり3個の担保取消事由が定められています。

なお、全ての事由に共通して、**供託原因消滅証明申請**も併せて行います。担保取消決定が出ますと、上記証明書も交付されます。これが、**供託払渡手続（供託金取戻請求）の場合の供託原因が消滅したことの証明（供託法8条2項）**になります。

i　1項取消・担保提供事由消滅（民訴法79条1項）

要　　件	本案訴訟の勝訴確定、勝訴的和解、債務者による損害賠償請求訴訟の敗訴確定等
必要書類	判決正本等、確定証明書等
期　　間	約1ヶ月

ii　2項取消・債務者の同意（同条2項）

要　　件	債務者の同意
必要書類	（訴外）債務者の同意書＋債務者の印鑑証明書
	（訴訟等）同意条項がある和解調書等の正本等
期　　間	（抗告権放棄もある場合）1週間ほど

iii　3項取消・権利行使催告（同条3項）

要　　件	1	本案訴訟敗訴確定、敗訴的和解、訴えの取下げ本案訴訟未提起
	2	保全事件および保全執行の取下げ
	3	権利行使催告の申立て
必要書類	1	判決正本等、確定証明書等、訴えの取下証明書、本案未提起の旨の上申書等
	2	保全命令申立取下書、保全執行取下げ・取消明書等
	3	権利行使催告申立書
期　　間		2ヶ月以上

③ 取消事由ごとの留意点

i 1号取消

原則的な取消事由になります。

問題となり得る点として、**被保全債権と本案訴訟の訴訟物がズレてしまった場合については、請求の基礎が同一である限り、同一性を認めてよいとされます**（最判昭26.10.18民集 5 巻11号600頁）。一部認容一部棄却の場合、一部棄却の理由が保全事件後の弁済や相殺等の事後的理由であれば問題ないと考えますが、そうではなく、かつ、金額等の相違が大きい場合には勝訴とはいえず、3 号取消によることになります。

勝訴的和解の場合、通常は、和解条項で担保取消の同意条項を付けると思いますので、その場合は 2 号取消になります。同意条項がないと何が勝訴的か？　という解釈問題に発展してしまいますので、極力担保取消の同意条項を付けてください。

なお、全部勝訴判決確定と損害不発生とは、理論的にはイコールではありません。**被保全債権の存在は認められても、保全の必要性を欠いた保全事件があり得るからです。**ただ、1 号取消にあたっては、債権者は保全の必要性が存在したことの証明までは不要です。立証困難な上、即時抗告で債務者に争わせればよいからです。

ii 2号取消

実務上典型的なのは、保全事件後、提訴前に債務者から和解等の申し入れがなされて、これに応じる場合です。

和解をする場合は、担保取消の同意条項を必ず付けるようにしましょう。これを忘れると 3 号取消をやらざるを得なくなります。また、**同意取得にあたっては、抗告権の放棄も付けてください。抗告期間の経過を待たずに済むので手続期間が短縮できます。**訴外で同意をとる場合は、債務者の真意を担保するため、印鑑証明書が必須となります。

なお、保全事件の取下げと担保取消は、別個の手続ですので、事情により、和解はするが保全執行の効果を維持したい場合は、勢い

で保全事件の取下げまでしてしまわないよう注意してください。

iii　3号取消

　本案訴訟で負けてしまい、債務者も担保取消に同意してくれない、あるいは、保全はしたけれどその後の事情で本案訴訟は提起しなかったという場合は、3号取消として、**権利行使催告**による取消しを求めることになります。

　権利行使催告とは、**債務者に対し、一定期間内に損害賠償請求訴訟等の権利行使をなすべきことを催告し、期間内に債務者が権利行使をしなかった場合は、債務者の同意があったものとみなす制度です。**

　この場合、保全事件の取下げと保全執行の取下げは必須となります。

　本件事例のように、権利行使催告の結果、債務者が損害賠償請求訴訟の提起等の権利行使をした場合、担保取消決定はなされませんので、担保の返還は受けられません。

4　違法な保全事件による損害賠償

① レアではあるが起こり得る

　前述のとおり、3号取消（権利行使催告）をしたからといって、実際に債務者から損害賠償請求訴訟が提起されることは極めてまれです。とはいえ、可能性はゼロではありません。当職は幸いにして自ら申し立てた案件について損害賠償請求をされた経験はありませんが、他の弁護士が申立てした案件で、損害賠償請求訴訟を提起され、その訴訟を担当したことはあります。現実に起こり得るんだと認識させられました。

② 損害賠償請求訴訟の怖い点

　本案訴訟で敗訴が確定した、あるいは保全異議で保全事件が取り消されたといった場合、当該保全事件は、違法性を帯びます。そして、怖いことに、この場合、**特段の事情がない限り債権者の過失が推定され**、ただ、債権者に相当の事由があった場合は当然に過失が

あったということはできないと判断されています（最判昭43. 12. 24
民集22巻13号3428頁）。つまり、故意過失の立証責任が転換され、
債権者の方でこの「相当の事由」を主張・立証しなければならない
ということです。

③　損害賠償請求訴訟のネック

　一方で、損害賠償請求訴訟でネックとなるのが、損害の発生と因
果関係の要件です。例えば、売却予定等のない自宅を違法に仮差押
えされたとして、実害としてどのようなものが考えられるでしょう
か？　高額で売却予定であり、債権者もそれを知っていた等の事情
でもない限り実害（＝損害）があったとはなかなか認め難いと思い
ます。

　このように、債務者側からすれば、損害あるいは損害と違法保全
との因果関係の立証のハードルが高いことから、実際に訴訟提起ま
ですることはレアであるといえます。

　判例を見ても、損害がない、因果関係がないとして請求棄却とな
る事案が散見されます。最近では、最高裁平成31年3月7日判決
（集民261号87頁）などがあります。

　この最高裁判決の事案は、債務者のデパートに対する売掛金を仮
差押えしたところ、債務者は仮差押解放金を供託した上、保全異議
の申立てを行い、同事件で当該仮差押えにつき保全の必要性が認め
られないとして当該仮差押えが取り消されたため、債務者が債権者
に対し、当該仮差押えによって、デパートとの取引ができなくなっ
たことによる得べかりし利益を損害として賠償請求したものです。

　そもそも論として、保全の必要性の検討を怠ると怖いなぁとしみ
じみ思いますが、その点を措くとして、最高裁判決では、「デパー
トと債権者の取引がそれほど回数が多くなく、継続取引を行う合意
は認められない。債務者がそのことを期待するだけの事情もなかっ
た」（要約）として、当該仮差押えと将来取引による得べかりし利
益の間に相当因果関係を認めず、債務者の損害賠償請求を排斥して
います。

こうすればよかった

　基本ですが、断定的説明はせず、可能性がある限りその点を含めてきちんと説明すべきでした。ただ、悩ましいのは、リスクを説明すると、「では止めておきます」という人が多いのも事実で、保全を打たなかった結果、資産を動かされ、執行できなかったということになってしまっては、また別の紛争に発展しそうです。

　説明の仕方としてしては、「負けた場合、相手方から損害賠償請求がされてその裁判で負ければ戻ってこないという可能性は否定できません。ただ、経験からいえば（裁判例をみると）そのようなケースは極めてまれであるといえます。もちろん保証できません。ただ、保全しておかないと、動かされて勝訴しても意味がなくなるというリスクもありますので、十分にご検討ください」となるでしょうか。その上で、委任契約書の特約条項にでも「敗訴の場合、担保は戻らない可能性がある」と書いておくよいでしょう。

これがゴールデンルールだ！

　断定的説明をしない。リスクがある限りそれはきちんと説明する。

⑧ 再抗弁はせり上げよ
〈保全事件の要件事実〉 •••••••••••••••••••••••••• ▶

失敗事例 訴訟とは違った……

　甲弁護士は、Ｘ社から、Ｘ社のＹ社に対する500万円の貸金債権について、仮差押えを受任しました。

　この貸金債権は、6年前に弁済期を迎えていましたが返済がなく、その後、時効の更新のため、Ｘ社がＹ社から債務承認書を取り付けたという経緯がありました。

　甲弁護士は、要件事実に従い、申立書の被保全債権として、貸金契約の成立、弁済期の到来のみ記載の上、疎明資料として金銭消費貸借契約書を提出し、裁判官面接に臨みました。

裁判官　「先生、ちょっと追完資料をお出しいただきたいのですが、本件債権の弁済期は6年前ですよね、そうすると消滅時効が成立していると予想できますので、消滅時効の完成猶予等（中断）の疎明資料を出していただきたいのですが。」

弁護士　「はぁ？　消滅時効の要件事実は時効期間と援用ですよね？　債務者が援用して初めて再抗弁の主張・立証責任が生じるのではないですか？」

裁判官　「訴訟ではそうでしょうが、これは保全事件ですから、抗弁に対する反対事実や再抗弁も主張・疎明していただかないと、却下せざるを得ませんよ。」

弁護士　「そういうものなのですか……」

　甲弁護士は、翌日、債務承認書を裁判所に追完し、無事発令に至りました。

解説

1 失敗の原因

　要件事実論的には、甲弁護士の言い分は正しいです。ただ、それは、対審構造を前提とし、弁論主義が全面的に適用される訴訟における要件事実論であって、原則として、**一方当事者の主張・疎明のみで判断する保全事件では全面的にあてはまるとはいえません。**

　ここを見誤ったのが甲弁護士の失敗でした。

　もっとも致命的な失敗ではなく、追完すれば済むだけの話ともいえますが、本件事例のように裁判官面接を実施し、裁判所が距離的に近ければともかく、遠方の裁判所で郵送でやりとりをせざるを得ない場合、郵送に要する時間をロスすることとなり、その分発令が遅れるという問題が生じます。

　保全事件では、予想される抗弁に対して、これを排斥するに足りる積極否認や再抗弁の主張・疎明が求められます。本件事例では、申立書の記載自体から消滅時効期間が経過していることが明らかですから（民法166条1項1号、旧民法施行下では旧商法522条）、本案訴訟では被告（債務者）より消滅時効の抗弁が提出されることが予想されます。したがって、再抗弁である、「承認」（民法152条、旧民法156条）の事実を、**いわば「せり上げ」て主張・疎明**することが求められます。

2 保全事件の審理対象

　保全事件の審理対象（訴訟物、保全物）に関しては、理論的に様々な考え方があります。興味がある方は、瀬木比呂志『民事保全法（新訂第2版）』（日本評論社、2020年）152頁以下を参照してください。

　さしあたり、保全事件の実体上の要件は、①被保全債権の存在と②保全の必要性（民保法13条1項）ですから、とりあえずは、この①と②が保全事件の審理対象であり、①に関しては、本案訴訟における訴訟物、要件事実論（立証責任の分配）が妥当すると考えておけばよいでしょう。

3　保全事件の審理対象と追加仮差押え

　保全事件の審理対象が実務上問題となるようなケースはあまりないのですが、追加仮差押えの可否という形で理論的な問題となったことがあります。

　追加仮差押えとは、被保全債権全額である目的物に仮差押えを行ったところ、目的物の価額が請求債権より少なかった場合（例えば、不動産では地価が下落したとか、預金であれば予想していたより少なかった場合等）、同一の被保全債権で別の目的物に対する再度の仮差押えは認められるか？　という問題です。

　保全事件の審理対象を上記2のように捉えると、1回目の事件で被保全債権の全額とこれに対する保全の必要性を審理したのですから、判決における既判力あるいは一事不再理効と類似の効力が発生して、2回目の申立ては、これに抵触して許されないとも考えられます。過去、このような否定説に立つ判例も散見されました。

■追加仮差押えの概念図

　ただこの問題は、最高裁平成15年1月31日決定（民集57巻1号74頁）によって、追加仮差押えもできるということで実務的には解決しました。

　最高裁決定の理由は、仮差押えは、執行不能等の場合に備えて、仮差押命令の必要性が存するときに、本執行を保全する制度であって、被保全債権および保全の必要性が審理の対象となるが、発令済みでも、**異なる目的物について保全の必要性が認められるときは、発令済みの仮差押命令の必要性とは異なる必要性が存在する**というものです。

保全の必要性を審理の対象とするならば、保全の必要性は、債務者の財産状況の変動等によって、時々刻々と変化するものです。そうしますと、1回目と2回目では、必ずしも同じ「もの（審判対象）」について、判断したわけではないですから、理屈として、既判力や一事不再理という考え方が成り立たなくなるわけです。

4　疎明責任の分配

　被保全債権については、前述のとおり、訴訟における訴訟物（Streitgegenstand）理論、要件事実論が基本的に妥当すると考えられますが、保全事件の特性により、疎明責任（証明責任）の分配に関しては若干の注意が必要になります。

　仮差押えおよび係争物仮処分は、原則として双方審尋事件ではなく、一方当事者である債権者の主張と疎明のみによって判断されます（民保法3条、23条4項）。債務者の言い分は聞きません。保全事件の密行性というやつです。これによって、相手方である債務者には、保全命令発令後の保全異議でしか反論の機会がありません。訴訟であれば抗弁の主張・立証は被告の責務といえますが、**双方審尋が実施されない保全事件では、債務者が抗弁や積極否認事実を出せるわけもなく、**発令後の保全異議に委ねるというのでは、債務者が可哀想すぎますし、法的安定性を著しく害してしまいます。

　このため、保全事件の審理にあたっては、**申立書の主張や疎明資料から、通常予想される抗弁事由（消滅時効、弁済、相殺、同時履行の抗弁権等）が窺われる場合、債権者に抗弁事由の積極否認事実や再抗弁事由の主張・疎明を求めています。**

　判例も「利害の対立する者の対席が保障されない手続の段階にあっては、債権者としては、当該不動産の所有権が債務者に属することについて通常予測されるような障害事由の存しないことも含めて証明（＊）しなければならないと解するのが相当である。」と判示しています（東京高決平3.11.18判時1443号63頁）。この判例の事案自体は、仮差押えの対象物の所有権の帰属が争点となっているものですが（＊そ

のため文中「証明」となっています。民保規20条１号ロ等参照）、判旨の射程は、被保全権利の疎明責任についても妥当します。

　あくまで比喩的にいえば、要件事実論における「せり上がり」と同じく、保全事件では、再抗弁（R）を請求原因（Kg）に「せり上げ」て主張・疎明する必要がある。または、抗弁（E）の反対事実を主張・疎明する必要があるということです。

　本件事例に即してブロックダイヤグラムにすると以下のとおりです。

■ Stg：金銭消費貸借契約に基づく目的物返還請求権

K g (Klagegrund)	E (Einrede)	R (Replik)
・金銭返還合意 ・金銭交付 ・弁済期の合意 ・弁済期の到来	・権利行使可能 ・時効期間の経過 ・援用の意思表示	・承認

せり上げて主張・疎明する

　もう少し具体例をあげると、貸金請求で、一部弁済を受けた後の残元金請求の場合、特に金融機関が債権者の場合は、通常残元金額の疎明が求められます（初版刊行後に裁判官に聞いたところ、その裁判官は、「絶対必要とはいわないが、ないと疑いの目を向ける」とのことでした）。といっても、コンピューター等の残高照会画面をプリントアウトしたもので足ります。売買代金請求であれば、目的物を引き渡したことや、代金支払期日の定めとその到来などの疎明が考えられます。当職の経験で変わったものとしては、詐害行為取消権に基づいて転得者の物件の処分禁止の仮処分を申し立てたところ、転得者の悪意の疎明を求められたことがあります。要件事実的には、転得者の方で善意を主張・立証すべきですが、これまでに述べた理由によって、その反対事実の主張・疎明を求められることとなったのです。

　なお、抗弁事由の積極否認事実や再抗弁事由というと、その疎明が

大変そうですが、あくまで通常予想される範囲で、かつ、債権者がなし得る限りの疎明ですので、そこまで高いレベルのものは要求されません。

こうすればよかった

これは、当職の私見であり、やり方ですが、抗弁等の反論が予想される場合は、主張される前に、訴状の段階で「予想される争点に対する反論」とか銘打って、先行していろいろ主張・立証しています。保全事件でもこのスタイルです。このようなやり方をしていれば、甲弁護士のような失敗は防げます。

甲弁護士の立場に照らしてみても、消滅時効が完成しているのは申立書を書いている段階で分かっているのですから、完成猶予事由等を主張・疎明しないというのは、不注意でした。

これがゴールデンルールだ！

保全事件では再抗弁はせり上げよ！
債務者代理人だったらどうするかを考えて、その反論を潰す再抗弁事由や反対事実を積極的に主張・疎明すること。

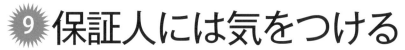

⑨ 保証人には気をつける

〈二段の保全不足〉••••••••••••••••••••••••••••••▶

失敗事例 主債務者を忘れていた

　Xさんは、Aに貸金債権を有し、Yをその連帯保証人にとっていましたが、Aの返済が滞り、AとYに督促を続けていました。しかし、両名から返済はありませんでした。

　Xさんは、甲弁護士に、貸金の回収を依頼し、その際、Yの自宅は本人のものらしいという情報を伝えました。

　甲弁護士は、Xさんの依頼を受け、連帯保証人Yの自宅を調べたところ、Yの所有物でしたので、Yを債務者とする不動産仮差押えの申立てを行いました。以下は、甲弁護士と裁判官の面接時のやりとりです。

裁判官　「まず形式面ですが、連帯保証との主張に対して、「連帯」の合意を示す疎明資料を追完ください」

弁護士　「はい」

裁判官　「次に、申立書を拝見しましたが、Aについて何も書かれていないのですが？」

弁護士　「本件の債務者はYですから。不要と思います。訴訟物も違いますし」

裁判官　「主債務者Aについての資力も一応疎明いただくことになっていますので、追完してください」

弁護士　「連帯保証なんですけど、そういうものですか……」

　後日、甲弁護士は、Aの住所地の所有関係を調べたところ、他人所有物件であることが判明したため、これと連帯合意があったことの疎明資料を追完し、なんとか発令に至りました。

1　失敗の原因

　当職の造語ですが、（連帯）保証人に対する仮差押えの申立てをする場合、「二段の保全不足」を主張・疎明する必要がありますが、これを知らなかったことが甲弁護士の失敗です。

2　（連帯）保証債務の性質

　保証債務は、主債務とは別の債権です。ですので、甲弁護士がいうとおり、主債務とは訴訟物が違い、保証債務だけを「切り離して」訴訟提起や仮差押えの申立てができます。

　連帯保証は、保証契約に「連帯」の特約がついたものです。いうまでもなく、連帯保証になりますと、保証人は「催告の抗弁」（民法452条）と「検索の抗弁」（同法453条）を債権者に主張することはできなくなりますし（同法454条）、保証人が複数人いる場合でも「分別の利益」を有しません（同法454条）。

　保証契約と保証人の抗弁権の関係をブロックダイヤグラムにすると下図のとおりです。

■ Stg：保証債務履行請求権

K g (Klagegrund)	E (Einrede)	R (Replik)
・主債務の成立 ・保証契約の成立	← ・保証人の抗弁権 （催告の抗弁、 検索の抗弁）	← ・連帯の特約

　第1章8（58頁）で述べたとおり、保全事件では、「再抗弁をせり上げよ」ですから、連帯保証の場合、「連帯の特約」まで、いわばせり上げて主張・疎明するか、保証人の抗弁に対する反対事実（主債務者に催告したこと、主債務者に執行容易な資産があること）を主張・疎明する必要があります。

　実務上、まれにですが、「保証書」自体には「連帯」の文言が一言

も触れられていないようなケースがあります。このような場合、本件事例のように、裁判官から「連帯の特約」の疎明資料の追完を求められます。

3　二段の保全不足

　上記で述べたとおり、主債務と保証債務は、訴訟物は別です。ですので、仮差押えもそれぞれに対し、別個に申立てできます。そして、連帯保証の場合は、保証人の抗弁権を有しませんから、主債務者の無資力等は、連帯保証人を債務者とする仮差押事件には無関係とも考えられます。

　したがって、連帯保証人に対する仮差押事件では、主債務者に対する保全の必要性、典型的には資力の有無は、無関係と考えるのが筋です。甲弁護士の言い分ももっともですし、かつての実務上の運用もそうでした。

　しかし、現実問題として考えてみて、主債務者に請求することなく、いきなり連帯保証人に請求することがあるでしょうか？　普通は、主債務者が支払ってくれない、支払えないということから保証人に請求したり、法的手続を検討するものです。また、保証人がいるといっても、債権者が取れるのは主債務の範囲だけで、主債務とは別に保証債務を二重取りできる訳ではありません。仮に連帯保証であったとしても、それはあくまで**主債務の従たるもの、「サブ」にすぎません**。

　このような理由から、現在の実務運用は（少なくとも東京地裁の運用では）、連帯保証人単独に対する仮差押事件では、連帯保証人に対する保全の必要性に加えて、主債務者に対する保全の必要性も要求しています。

　これを「**二段の保全不足**」と当職は呼んでいます。先ほど述べたとおりあくまで当職の造語ですので、その点はご注意ください。

一段目	主債務者の保全の必要性（無資力・保全不足）
二段目	連帯保証人（申立債務者）の保全の必要性

　この裏の関係として、それでは主債務者に対する仮差押えの際に、保証人がいることは、主債務の保全の必要性に影響を与えないのか？という疑問が湧きます。

　仮差押えは、強制執行が「執行不能」「執行困難」になることを事前に防止するための制度で、強制執行は、判決などの債務名義に示された個々の債務者の個々の財産についてなされます。ですので、原則として、**人ごとにその責任財産によって債権の満足を得られるかどうかを判断すればよい**ということになりますので、保証人の有無は考慮する必要はありません。

4　連帯保証人に対する仮差押えの疎明資料

　では、一段目の保全の必要性として、どの程度の疎明が求められるでしょうか？

　理屈では、およそ資力がないことを疎明すべきといえますが、悪魔の証明です。そこで、無資力であることや**主債務だけでは保全が不足することの一応の疎明**があればよいとされています（**第3章18**(124頁)参照）。

　その疎明資料の具体的内容も、債権仮差押えの場合とほぼパラレルで、次のとおりです。要は、所有不動産がないことの疎明です。

　債権者に不可能を強いることはできないので、まあ、普通考えつく最低限のことはやってくださいよ、ということですね。

① 　**主債務者の住民票 or 法人登記事項証明書**
② 　**上記のブルーマップ**
③ 　**①の住所地の土地および建物の不動産登記事項証明書**

主債務者に資産はあるが、被保全債権全額を満たさないような場合、例えば、評価額600万円の不動産はあるが、被保全債権自体は1000万円あるような場合です。いわゆる保全不足の場合ですね。この場合、主債務の保全不足額（1000万円－600万円）を疎明すれば、保全不足の部分（400万円）について、保証人に対する仮差押えが認められます。

　なお、江原健志・品川英基編著『民事保全の実務（上）〔第４版〕』（金融財政事情研究会、2021年）235頁によれば、東京地裁の運用として、この場合に、主債務者と連帯保証人間で請求債権の割り付けを行う必要はなく、各自に対して請求債権を1000万円とすることは差し支えないとされています。

■保全の必要性の概念図
被保全債権1000万円の枠内

主債務者 600万円	保証人 保全不足部分 400万円のみ

5　三段の保全不足

　保証人に対する仮差押えの対象資産が債権の場合、**第３章18**で説明しますが、保証人（申立債務者）の住所地が本人所有ではないことを疎明する必要があります。

　したがって、連帯保証人の債権を仮差押えする場合、さらにもう一段追加して、三段の保全の必要性を疎明する必要があります。

一段目	主債務者の保全の必要性（住所地の登記事項証明書）
二段目	保証人（申立債務者）の債権仮差押えの保全の必要性（住所地の登記事項証明書）
三段目	保証人（申立債務者）の保全の必要性（一般的・通常のもの）

こうすればよかった

甲弁護士は、保証人に対する仮差押えの特性を理解し、最低限、Ａの自宅の不動産登記事項証明書を取っておくべきだったということにつきます。

とはいえ、実務上の運用であって、民事保全法等の条文に明文で規定されている訳でもなく、実務書等でもさらっと書いてある程度ですから、そこまで知識を仕入れておくというのはなかなか難しいとは思います。

債権の回収事案を受任した場合、まず真っ先に債務者や関係者の自宅・本店の不動産登記情報を確認するという癖を付けておくとよいでしょう。

✸ これがゴールデンルールだ！

連帯保証人に対する債権仮差押えでは、二段の保全不足の疎明が不可欠。

最低限、主債務者住所地の所有関係を調べ、主債務者の所有でないことを主張・疎明する。

主債務者に所有資産があれば、その保全不足額のみ連帯保証人に仮差押えする。

第**2**章

不動産の仮差押え、競売事件に
まつわる失敗

⑩ 欲張るな

〈超過仮差押えの禁止〉 ┄┄┄┄┄┄┄┄┄┄┄┄┄┄ ▶

失敗事例 仮差押えが認められたのは一部物件だけ

＊本節は、**第2章11**（78頁）と併せてお読みください。

　　甲弁護士は、Xさんから、XさんのYに対する500万円の貸金債権について、仮差押えとその本案訴訟を受任しました。

　　甲弁護士は、さっそくYの資産関係等を調査したところ、Yは無職で、めぼしい金融資産は見当たらないが、親から相続した自宅（土地と建物）があることが判明しました。

　　土地と建物の固定資産評価証明書を取ってみると、土地が400万円、建物が300万円でした。

　　甲弁護士は、土地と建物を対象として、仮差押えの申立てをしました。

　　以下は、甲弁護士と裁判官の面接時のやりとりです。

裁判官　「発令の方向ですが、超過仮差押えになるので、土地か建物かのどちらかにしてください」

弁護士　「でも土地か建物だけでは請求債権全額カバーできませんよ」

裁判官　「法定地上権を加味してますか？」

弁護士　「抵当権は付いてませんが……」

裁判官　「民事執行法81条の法定地上権です。建物価額300万円に法定地上権割合60％として、土地の価額400万円の60％分を加算すると540万円になり、請求債権を超えますので」

弁護士　「……建物だけにします」

　　後味の悪い仮差押えとなりました。

1 失敗の原因

　超過仮差押えの禁止、民事執行法上の法定地上権の制度および強制競売の場合の物件評価方法を十分に理解していなかったことが甲弁護士の失敗でした。

　もっとも、本件事例では、そもそも土地と建物両方では、超過仮差押えにならざるを得ない状況であり、どのみちどちらかの物件でしか仮差押えが認められなかったといえ、致命的な失敗というほどのことはありません。

　ただ、一部物件しか仮差押えが認められない可能性があることを認識した上で、土地と建物両方に対し、いわばダメ元で申立てを行うという心構えを有しておいた方が、精神的ダメージの軽減や依頼者への説明が容易になるという側面はあります。

2 超過仮差押えの禁止

① 原則

　仮差押えは、被保全債権（請求債権）を保全するための制度です。したがって、請求債権の範囲内でのみ保全の必要性が認められるのであって、被保全債権の金額を超える物件の仮差押えは、その部分に関しては、保全の必要性がなく、仮差押えが禁じられます。これを超過仮差押えの禁止といいます。

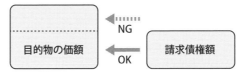

② 不動産

　仮差押えの対象が不動産の場合、請求債権が500万円であったとして、隣接する2筆の土地、A土地600万円とB土地500万円があっ

た場合、AB土地を一体利用した方が経済的効用が高いとしても、AB両方を仮差押えすることはできません。また、B土地のみで請求債権をカバーできますので、A土地を仮差押えすることも原則としてできないこととなります。

　一方で、800万円の土地1筆しか存在しないような場合、物件の一部のみの仮差押えはできませんから（実際上の問題として、仮差押えの登記ができません）、この場合、**第1章2**（20頁）で述べたように請求債権と目的物の価額の乖離が著しいような場合でなければ、仮差押えが認められる余地があります。

　不動産の価額については、実務上は固定資産評価額によるのが通例です。したがって、固定資産評価証明書を取得し、それによって、超過仮差押えになるかどうかの判断を行います。もっとも、価額の証明（民保規20条1号ハ）ができればよいので、鑑定書等でも構わないのですが、一般的には、固定資産評価額は、実勢価額の60％程度といわれており、超過仮差押えにあたるかどうかの判断に関しては、こちらの方が有利とはいえます。

③　**債権**

　仮差押えの対象が債権の場合、債権は数量的に可分ですから、請求債権の範囲で、分割された債権を仮差押債権とすることができます。例えば、請求債権500万円に対して、1000万円の預金債権を仮差押えする場合、1000万円の預金の内の500万円のみ仮差押えの効力を及ぼせばよく、それ以上は超過仮差押となってしまいます（民執法146条2項、民保法50条5項）。

　端的にいってしまえば、

　請目の金額＝（仮）差目の金額

とするのが実務運用です。金額を合わせればよいだけです。

④　**動産**

　仮差押えの対象が動産の場合も、基本的な考え方は債権の場合と

同様です。

　動産仮差押えは、目的物を特定しないで発令できます（民保法21条但書）。ですので、請求債権の範囲内で目的物の仮差押えがされるだけですから、目的物の価額が過大であるということは問題となりません。

　ただ、目的物を特定して申立てを行った場合は、不動産の場合と同様の問題となります。

3　超過仮差押えを看過したリスク

　超過仮差押えに気づかず、あるいは意図的にその事実を秘して（裁判官の情報源は債権者の主張・疎明が主なので、やるのは容易です。でも、**やっては駄目です**）仮差押えの保全執行がなされた場合ですが、この場合、債務者は、保全異議（民保法26条）で、その効力を争うことができます。保全異議審で保全命令取消決定（同法32条1項）がされた場合、**第1章7**（50頁）で述べたとおり、不法行為による損害賠償の問題となり得ます。意図的にこれを秘して発令を受けたような場合は、代理人弁護士は懲戒処分の対象になることは確実です。

　欲張ってはいけません。保全の必要性があるか慎重に見極めてください。

4　民事執行法上の法定地上権

①　要件と効果

　民法上の法定地上権（388条）は著名ですが、民事執行法にも法定地上権の規定があり（81条）、**民事執行法上の法定地上権**などと呼ばれます。

　要件的には、民法388条とほぼパラレルで、

　　ⅰ　土地、建物が債務者の所有に属すること

　　ⅱ　土地または建物に差押えがなされたこと

　　ⅲ　その売却により、所有者を異にするに至ったこと

の3つです。この3要件が揃った場合、**建物に地上権が設定された**

ものとみなされ、地代は裁判所が定めます。

　仮に、建物だけの強制競売を行ったとしても、買受人は、敷地利用権を得ることができますので、建物としての価値を毀損することなく利用できることとなります。こうしないと、誰も建物だけの物件を落札しないでしょう。

　その意味で、土地と建物どちらか選べといわれれば、建物を選んだ方が一般的にはより高額での落札が見込めます。

②　仮差押えと法定地上権

　それでは、本件事例において、Yの建物にXが仮差押えを行った後（登記後）、Yが土地をZに譲渡し、その後、Xが建物につき本執行移行としての強制競売（差押え）を行ったような場合、法定地上権は発生するのでしょうか？

　要件的には、差押えの時の所有者が異なっていますから、法定地上権は成立しないようにも思えますが、最高裁平成28年12月1日判決（民集70巻8号1793頁）は、**仮差押え時に土地と建物の所有者が同一であれば、本執行移行時に別人に属していたとしても法定地上権が成立する**としています。仮差押えの効力として、法定地上権保存効（当職の造語）を認めた判例といえます。

5　法定地上権の競売評価

　強制競売（担保不動産競売）における物件の価額は、執行裁判所による評価命令により、評価人（不動産鑑定士）が行います。

　競売評価では、複数の物件、例えば土地と建物があるような場合、各物件ごとに個別の評価を算出し、最終的に合算して一括価格（民執法61条の一括売却の場合）を算出し、評価書を執行裁判所に提出します。執行裁判所は、評価書に基づいて売却基準価額を決定します（同法60条1項）。

　土地については、まず建付地（建物がある土地）として価額を算出し、建物については、建物単独の価額を算出します。この段階で、土地500万円、建物100万円と算定されたとします。

その後、建物に敷地利用権がある場合、土地利用権等価額として、一定の割合を土地から減価し、その額を建物に加算します。この敷地利用権としては、使用借権、借地権、地上権などが考えられますが、**法定地上権が成立する場合は、法定地上権価格として一定割合が土地から減価されることになります。**この割合（法定地上権割合）について、地域差がありますが、借地権よりさらに強い権利であるため、一般に借地権割合＋5～10％程度といわれています。借地権割合は、路線価図（http://www.rosenka.nta.go.jp/）を調べれば判明します。

　ざっくりですが、東京地裁の本庁では60～70％程度、地方でも30～50％程度が法定地上権割合です。

　仮に法定地上権割合を60％とすれば、

　土地評価額は、500万円×（1－0.6）＝200万円

　建物評価額は、100万円＋（500万円×0.6）＝400万円

となります。

　法定地上権が成立する場合、土地価格のかなりの部分が建物に吸い上げられてしまうことに留意する必要があります。

こうすればよかった

　端的には十分な知識を身につけておくことです。それを踏まえた上で考え得る対策としては、損害金等、請求債権を大きくさせる要素があれば全て盛り込むこと、路線価図等を用意して、適切な法定地上権割合を算出し、裁判官を説得すること、物件の特性などを見極めて、減価要因があればそれを疎明し、評価額を下げること等が考えられます。

✳ これがゴールデンルールだ！

　対象物件の価額評価を慎重に見極めて、欲張らないこと。だまし討ちは絶対にやらないこと。

11 欲張れ
〈超過売却の禁止〉 • ▶

失敗事例 慎重さが裏目に

＊本節は、**第2章10**（72頁）と併せてお読みください。

（第2章10からの続き）

　その後、甲弁護士は、本案訴訟を提起し、無事500万円の認容判決を得ました。

　その債務名義でＹの自宅（土地・建物）の強制競売を申し立てることとなりましたが、甲弁護士の脳裏に仮差押えの時のなんとも嫌な記憶が蘇りました。同じ失敗を繰り返さないようにと思い、ざっと調べたところ、超過売却禁止の原則を見つけました。「危ない危ない」と思いつつ、仮差押えをしている建物のみを対象として強制競売事件の申立て（仮差押えの本執行移行）を行いました。

　強制競売開始決定も発令され、3点セットを確認したところ、売却基準価額は、わずか250万円にすぎませんでした。その理由は、土地について市場修正により減価されていること、建物自体も築年数の割に損傷が激しく、その分減価されていること、そして競売市場修正によりさらに減価されていることでした。超過売却どころか、土地価額を含めても請求債権に満たない有様です。

　甲弁護士は、入札で高額に落札されることを願いましたが、見通しは甘く、260万円でしか落札されませんでした。

　執行費用等を勘案すると、実質的には200万円ほどの回収にしかならず、300万円あまりは焦げついたままとなりました。

1 失敗の原因

　失敗を教訓にした甲弁護士は見上げたものですが、今度は消極策が裏目に出て、土地と建物両方に強制競売をかけていればもっと回収額の増大を見込めたところ、取りこぼしてしまいました。

　甲弁護士最大の失敗は、仮差押えと本執行である強制競売では、物件の評価方法が全く異なることを看過してしまったことです。**第2章10でも述べたとおり、仮差押えの物件評価は、基本的には固定資産評価額によります。一方、強制競売および担保不動産競売（競売事件）での評価は、評価人（不動産鑑定士）が行う正規の鑑定評価であり、**両者間には当然、乖離があります。固定資産評価額より鑑定評価の方が高額になることが多いですが、固定資産評価額は、一定の基準に従った一律の評価にすぎず、当該物件の個別的な事情は十分に反映されているとはいえないため、鑑定評価の方が低くなることもあります。したがって、固定資産評価額は一応の参考として、競売事件ではどのような評価がなされるかをある程度想定して、対象となる物件を選択すべきでした。

　基本的な考え方として、競売評価はやってみなければ分からないという側面が否定できないことから、欲張った方がよいです。

2 競売事件の大まかな流れ

　ざっとですが、民事執行法にそって、以下に競売事件の流れとフロー図を示します。

① 強制競売（担保不動産競売、**第2章14**（98頁）参照）の申立てを行い、裁判所が審理して、要件を満たしていれば開始決定が発令されます。

　　強制競売の要件としては、

ⅰ 執行文の付された債務名義の存在（22条、25条）

ⅱ 債務名義の債務者への送達（29条）

■競売手続フロー図

```
強制競売申立(①)
    ↓
開始決定・差押え(②)
    ↓
債権届出の催告
配当要求終期の公告
    ↓
執行官による現況調査(③)  →  現況調査報告書  ┐
    ↓                                          │
評価人による不動産調査(④)  →  評価書          │
    ↓                                          ├ 3点セット
物件明細書の作成(⑤)                           │
    ↓                                          │
売却基準価額決定        →  物件明細書          ┘
    ↓
売却実施命令
    ↓
3点セットの公開(⑥)
    ↓
期間入札(⑦)
    ↓
開札期日
    ↓
売却決定期日
    ↓
代金納付(⑧)
    ↓
配当期日等の指定等(⑨)
    ↓
配当手続等(⑩)
```

※図中の丸つき数字は本文79 〜 82頁の①〜⑩との対応を示します。

があり、事前の準備として、債務名義（判決等）に執行文の付与を受け、債務名義の送達証明書を取得しておきます。

　申立てに際して、所定の印紙、郵券のほか、差押登記用の登録免許税（税額は仮差押えと同じ基準）と予納金（請求債権額等に応じて数十万〜200万円ほど。裁判所ごとに異なります）が必要になります。

　　結構お金がかかります。

② 　開始決定が発令されると、物件に対し差押登記を行った上で（48条）、開始決定が債務者に送達されます（45条2項）。これで、**債務者も競売がされたことが分かります。**

③ 　執行裁判所は、執行官に現況調査命令を発し（57条）、執行官が対象物件の現地調査を行い、**現況調査報告書**（げんちょう）を作成し、執行裁判所に提出します。

④ 　執行裁判所は、評価人（不動産鑑定士）に評価命令を発し（58条）、これを受けて評価人が不動産の評価を行い**評価書**を作成し、執行裁判所に提出します。

⑤ 　評価書に基づいて、執行裁判所は売却基準価額を決定し（60条）、書記官は、物件に関する一応の法律関係の認識を示した**物件明細書**（ぶつめい）を作成します（62条）。

⑥ 　書記官は、期間入札期間と開札期日等を決定し（64条）、現況調査報告書、評価書、物件明細書（3点セットといいます）が公開（閲覧、「BIT：不動産競売物件情報サイト」（https://www.bit.courts.go.jp/app/top/pt001/h01）への掲載等）されます。

⑦ 　入札期間（1週間）に買受希望者は、買受価格を記載して入札します。開札期日（入札期間終了の1週間後）に開札の結果、買受人（最高価買受申出人）が現れた場合（落札された場合）、売却不許可事由（71条）の存否を審理した上で、原則として開札期日から1週間から2週間後に執行裁判所は売却許可決定を発令し（69条）、買受人が確定します。

　落札されなかった場合、原則として売却基準価額を下げて、2回

目の期間入札を行い、以下、3回目までこれを繰り返します。3回目でも落札されなかった場合、競売事件を取り消すことができます。一般に「**三振アウト**」と呼んでいます（68条の3）。

⑧ 売却許可決定確定日から約1ヶ月後の代金納付日に買受人が売却代金を納付することにより、所有権が買受人に移転し、所有権移転登記がなされます（78条、79条）。

　この時点で、超過売却となるかどうかが確定します（73条）。

⑨ 配当期日が指定され、配当表が作成されます（84条1項、85条）。売却代金で全ての債権者の債権を弁済できる場合は、交付計算書を作成して、弁済金を交付して終了です（84条2項）。

⑩ 配当期日が開かれ、債権者に配当が行われ、手続終了となります（84条）。

3　仮差押えの本執行移行

　仮差押えを行った物件について、請求債権（被保全債権）を同一にする強制競売がなされると、仮差押事件は強制競売事件に移行します。これを**仮差押えの本執行移行**といいます。

　ただ、自動的にそうなるわけではなく、一定の手続が必要です。といっても、極めて簡単なもので、強制競売申立書の物件目録の末尾に「**本物件は、東京地方判所令和○年（ヨ）第○号不動産仮差押命令申立事件の本執行移行である。**」と記載し、仮差押命令決定を添付書類として併せて提出するだけです。

　本執行移行によって、仮差押事件は、配当もしくは弁済金交付による強制競売事件の終了をもって、同じく終了します（消除主義を定めた民執法59条3項で消滅し、同法82条1項3号で登記も抹消される）。

　ただし、**担保取消は、これとは別の手続が必要**です。第1章7（50頁）を参照してください。

4　競売評価の留意点

　競売事件で、実際にどのような形で不動産の価額評価がなされるか

については、実際に評価書を見てみるのが一番理解が早いと思います。評価書を含む３点セットは、前述の「BIT」というウェブサイトで常時公開されていますので、当該サイトにアクセスして、お好みの裁判所のお好みの物件を検索してみれば閲覧・ダウンロード可能ですので是非参考にしてください。

　ここでは、簡単に留意すべき点をあげておきます。

　一番留意すべき点は、競売評価額、最終的には売却基準価額となりますが、これはエンドユーザに販売すべき小売価格ではなく、卸売価格の最低ラインと考えられていることです。条文で、「評価人は、強制競売の手続において不動産の売却を実施するための評価であることを考慮しなければならない。」（民執法58条２項）と規定されています。

　具体的にいえば、**第２章10**でも少し述べたとおり、まず不動産の正常価格を算定した上で、**競売市場修正という形で一定割合を減額します**。つまり売却基準価額自体は、相場よりも安くなるということです。「競売すると安くしか売れない」というのは、主としてこのことをいっています。

　では、競争市場修正の修正率はどの程度かといいますと、時期・地域差はありますが、30％程度が目安になります。なお、東京地裁本庁では、これまで30％とする扱いでしたが、平成29年３月１日以降は20％とする扱いに変わっています。

　さて、先ほど売却基準価額は卸売価格の最低ラインと述べましたが、ややこしいことに、これとは別に「買受可能価額」（民執法60条３項）という概念があります。これは、実際に入札するにあたって、最低限この値段は付けなさいという意味での真の最低ラインで、売却基準価額の80％の金額となります。

　そうしますと、仮に実勢価格で1000万円の物件があったとしても、売却基準価額は、その７掛けの700万円、買受可能価額はさらに８掛けの560万円になってしまい、入札による競争が働かないような物件であれば、最悪、560万円でしか売れないということになります。

5　超過売却

　競売事件では超過売却禁止原則があります（民執法73条）。仮差押事件に関しては、**第2章10**で述べたとおり、超過仮差押え禁止原則があります。

　ただ、仮差押えの物件評価は、基本的には、固定資産評価証明書等のみで判断せざるを得ないのに対し、競売事件では前述のように、正規の鑑定が行われますから、売却基準価額が決定されるまで超過売却になるかどうか判断できません。そして、**現実に落札されて代金納付がなされなければ、最終的に超過売却となったとはいえません。**

　そのため、民事執行法は、一部の物件の落札価額で請求債権と執行費用をまかなえる場合は、残りの物件の売却許可決定を留保し、代金納付がなされた時点で、残りの物件の競売事件を取り消すとしています（73条1項、4項）。東京地裁本庁では、売却実施（入札）以前の段階で、一部物件の売却実施を留保する運用がとられています。

　競売事件には、正にやってみなければ分からないという要素があります。

　なお、当職の経験ですが、2件ほど超過売却になった事例があります。1件は東京都心の一等地で、売却基準価額の3倍程度で落札されたことによります。もう1件は、地方の郊外の更地でしたが、想定外に売却基準価額が高く、しかも落札されたという案件でした。

　「競売だと安くなる」などとよくいわれますが、平成の終わりから令和にかけての市場を見ると、場所や物件の特性の問題はありますが、結構入札があり、高額で落札されるケースが多いです。平均落札額をみると、東京都、大阪府では、売却基準価額の2倍弱、全国的にみても1.5倍程度で落札されています。

　一方で、本件事例のように、場所・物件の特性により、相場より低くなるケースも散見されます。

　申立て前の段階では、不動産業者からの査定等をとって、実施価額を把握し、競売市場修正等も考慮の上で、対象物件の選定を行うべきでした。

　では、申立て後のリカバリー策はどうでしょうか？　甲弁護士は、3点セットを閲覧し、その時点で物件評価額を把握できました（建物の競売で法定地上権が成立するケースなので、土地利用権価額を算出するため土地の評価もされています）。この段階で、債務名義（判決）に執行文の数通付与を受けて（民執法28条1項）、土地に対しても強制競売の申立てを行い、先行事件（建物競売事件）と**一括売却**（同法61条）することを上申するという方法が考えられます。

　一括売却とは、不動産の相互利用関係からして（土地とその地上建物等）、同一の買受人に買い受けされることが相当な場合に、複数の物件を合わせて売却（入札）する制度です。

　一括売却を実施するか否かは、執行裁判所の裁量によりますが、認められれば、土地と建物を一括して売却できますので、建物のみよりもはるかに市場性が高まり、競争入札により落札価格の上昇が期待できます。

　さらに付言すると、3点セットの公開を待つことなく、評価書が提出された頃合いを見計らって、評価書の閲覧もしくは謄写請求を行い、売却実施命令が発令される前に、上記の手続をとっておくべきでした。

✸ これがゴールデンルールだ！

競売事件の評価は、やってみなければ分からない。申立てにあたっては欲張っていこう。

ただし、あからさまに物件価額が高額になることが予想されるときは慎重に。

⑫ 判決があっても仮差押え？
〈債務名義と保全事件〉 • • • • • • • • • • • • • • • • • • ▶

失敗事例 そこは気づかなければ

　A銀行は、Yに対する貸金請求訴訟で勝訴し、判決が確定しました。

　判決確定後、A銀行は、この貸金債権をサービサーX会社に譲渡しました。X会社が調査したところ、Yは、無担保の不動産を所有していることが判明しました。

　甲弁護士は、X会社から債権回収の依頼を受け、さっそく承継執行文の付与を受けました。

　準備が整ったので強制競売の申立てをしようとY所有不動産の不動産登記事項証明書を取得したところ、直近でYからZに所有権移転登記がされていました。

　甲弁護士は、泣く泣く強制競売を諦め、Zに対する詐害行為取消権を被保全権利とする処分禁止仮処分を打った上で、さらに、詐害行為取消訴訟を提起せざるを得ませんでした。

解説

1　失敗の原因

　債務名義（判決）を持っていれば、後は、強制競売すればよいだけで、さらに仮差押えをするなんて無意味にも程があり、保全の必要性も認められません。したがって、**債務名義がある場合、保全事件の申立ては認められません**。却下されます。これは大原則です。

　しかし、**例外的に債務名義を取得していても仮差押えが認められる場合があります**。その典型例の一つが、本件事例のように、判決言渡

し後に当事者の変動があって、承継執行文の付与を受けなければならない場合です。

甲弁護士は、承継執行文の付与申立ての前に、Y所有不動産の仮差押えを行っておくべきでした。これができることを知らなかったこと、怠ったことが最大の失敗です。

2　執行文

① 執行開始要件

強制執行の要件としては、単に判決等の債務名義（民執法22条）があるだけでは駄目で、それが**被告（債務者）に送達されていること（同法29条）と債務名義に執行文の付与を受けていること（同法25条）が要件**となります。

その理由は、我が国の法制下では、債務名義作成機関（判決裁判所や公証人）と執行機関（執行裁判所や執行官）が異なっているので、執行機関には当該債務名義に執行力があるかどうか分からず、債務名義作成機関が執行力があることを執行文によって証明する必要があるからと説明されています。

② 執行文の種類

ⅰ　単純執行文（民執法26条）

もっともシンプルな、原則形の執行文です。

単純給付を内容とする判決等で、当事者に変動もなく、債務名義1通だけに執行文の付与を受けるものです。

ⅱ　条件成就執行文（民執法27条1項）

債務名義の内容が、**債権者の証明すべき事実の到来にかかる場合**は、その事実を証明して、執行文の付与を受けるタイプものです。

例えば、「被告は、原告から○円の支払いを受けたときは、本件建物を明け渡せ」のような和解条項の場合です。この場合、原告は被告に○円を支払ったことを証明しなければ執行文の付与は受けられません。

注意すべき点として、引換給付の場合（「金員の支払と引き換え

に明け渡せ」といったとき）は、単純執行文で OK です。ややこしいですが、執行文付与の要件ではなく、執行開始の要件（同法30条1項、31条1項）となっているためです。

　単なる過怠条項の場合（「2回分延滞したら期限の利益を喪失する」といったとき）も、単純執行文になります。弁済の事実は、債権者が証明すべき事実ではないためです。

ⅲ　承継執行文（民執法27条2項）

　次項3で詳しく説明します。

ⅳ　債務者を特定しない承継執行文（民執法27条3項）

　債務者を特定しない占有移転禁止仮処分（民保法25条の2）等が打たれている場合で、強制執行時に債務者を特定することができない場合、債務者不特定のままで、承継執行文の付与を受けるものです。

　この場合まず債務者不明という形で執行文を付与し、これに基づく強制執行によって（執行官が現場に踏み込み、調査して）占有者（債務者）を特定することになります（民執法27条4項、**第4章25**（164頁）参照）。

③　**執行文の再度付与・数通付与**（民執法28条）

　債務名義1通には、1通の執行文しか付与されないことが原則です。しかし、不動産と債権の両方に執行しなければ全部の満足を受けられないような場合、執行手続が違い、執行裁判所も違ってきますので、1通では足りません。それぞれの裁判所に執行文付債務名義を提出する必要があります。このような場合、2通あるいは必要通数の執行文付与を求めるのが数通付与と呼ばれる手続です。

　一方、再度付与は、執行文が滅失してしまったとき、もう1回執行文付与を求める手続です。

3　承継執行文の付与

本件事例のように、判決言渡し後に原告が債権譲渡した場合や、被告に相続が生じた場合など、当事者が変動した場合でも**第4章25**で説

明するとおり、判決の効力はその承継人にも及びますが（民訴法115条3号）、判決正本の記載だけでは、その承継の事実は分かりません。

したがって、**当事者の承継の事実があったことを証明して、判決正本に承継執行文の付与**（民執法27条2項）を受けなければ当該債務名義に執行力が認められず、強制執行できなくなります。

ここで問題が生じるのですが、**承継執行文の付与を受けた場合、執行文と承継の事実を証明する文書の謄本を被告（債務者）に送達することが執行の要件になる**ということです（同法29条後段）。

つまり、被告（債務者）に、「これから強制執行するぞ！」ということが事前に予告されるに等しく、資産隠匿行為等を図られるおそれが出てくるのです。

本件事例では、判決言渡し後に、債務名義の貸金債権が債権譲渡によりA会社からX会社に移転していますから、X会社が執行債権者としてこの債務名義で強制執行するためには、債権譲渡の事実を証明して、執行文の付与を受ける必要があります。この際に、執行文と証明文書謄本がYに送達されたため、Yは、近々強制執行されると感づいてしまったのです。

4　債務名義がある場合と仮差押え

①　債務名義に条件、期限等が付されている場合

解説の冒頭で述べたとおり、債務名義がある場合は、直ちに強制執行すればよいだけなので、保全命令は認められません。

しかし、**債務名義はあっても、直ちに強制執行できない事情がある**というレアなケースもあります。その場合、例外的に仮差押えが認められます。

理論的には、**権利保護の必要性**（保全制度を利用する必要性）がある場合と説明されています。

判例（東京高決平24.11.29判タ1386号349頁）は、「債務名義を有している場合であっても、債権者が強制執行を行うことを望んだとしても速やかにこれを行うことができないような特別の事情があ

り、債務者が強制執行が行われるまでの間に財産を隠匿又は処分するなどして強制執行が不能又は困難となるおそれがあるときには、**権利保護の必要性を認め、仮差押えを許すのが相当であるというべきである。**」との判断枠組みの上で、執行力ある債務名義で執行を行うには、債務者への承継執行文を得て、かつ、これを執行機関から相手方に送達しなければならないが、そうするとその送達により、相手方は債権者が強制執行の準備をしていることを予想することが可能となり、財産を譲渡したりして、債権者において執行を速やかに行うことができず、不能、困難となるおそれがあり特別な事情がある場合にあたる、と判示しています。

当職は、過去5回これで仮差押えを行ったことがありますが、何ら問題にされることはなく、するりと発令されました。

承継執行文付与の場合のほか、条件成就執行文の場合も、条件成就までの間に資産が動かされるおそれがあるので、具体的事情のもとで特別の事情が認められる場合があります。

② **物件が無剰余の場合**

債務名義はあり、債務者は不動産を所有しているので強制競売を申し立てたが、不動産市況が悪く、しかも優先する抵当権が設定されており無剰余で取り消されてしまったとします（**第2章11**（78頁）参照）。

債権者からすれば、時間が経過すれば、市況がよくなるかもしれませんし、抵当債務は弁済されその分剰余価値は増えることが期待できます。しかし、そのときになって債務者に物件を処分されてはたまらないので、不測の事態に備え、現時点でとりあえず仮差押えしたいと考える場合があります。

このような場合、具体的な事実関係によりけりですが、特段の事情、例えば、近い将来に剰余価値が発生すること等が認められれば、仮差押えが認められる場合があります（無剰余取消を受けた後の事案として、大阪高決平26.3.3判時2229号23頁）。

無剰余取消を受ける前の時点での事案では、特段の事情を否定す

る最高裁判例（最決平29. 1. 31判時2329号40頁）がありますが、あくまで当該事実関係のもとでは、という事例判決だと考えます。

こうすればよかった

債務名義が存在しても、保全措置が認められる余地があることや前掲の東京高裁（平24. 11. 29）の決定を知っていれば済んだ話で、甲弁護士の勉強不足ではあるのですが、これらを知らなくても問題意識を持つことはできたはずです。

承継執行文の付与を受けるにあたっては、送達申請も併せて行います。「**承継執行文等が債務者に送達されたら、意図がバレちゃうんじゃないか？**」と、このとき気づくことができました。気づかなければなりません。「これを防ぐ方法として仮差押えは利用できないかな」とのアイデアが思い浮かべば、後はちょっと文献を調べるなり、「承継執行文　仮差押え」で判例検索すれば、求める情報にたどり着けたでしょう。

知識はなくとも、「おかしい？」という問題意識を持てるか？　甲弁護士は少々漫然としすぎていました。常に「気づき」の姿勢が必要です。

なお、リカバリーとして詐害行為取消訴訟をしていますが、勝てる保証はありません。

✸ これがゴールデンルールだ！

問題意識を持って事案解決に取り組む気づきの姿勢が重要。
債務名義があっても保全措置がとれる場合もある。特に承継執行文の付与を受けなければならないときは、仮差押えの要否を十分検討する。

⑬ 未登記でも押さえてしまえ
〈特殊な物件の差押え〉 ••••••••••••••••••••••••••••••••••• ▶

失敗事例 知識不足で三振アウト

> 甲弁護士は、Yに対する貸金請求訴訟で勝訴し、判決が確定しました。
> 　Yは、自宅として、土地とその上に建物を所有していましたが、建物については未登記でした。
> 　甲弁護士は、未登記では差押登記ができないと思い、土地のみを対象として不動産強制競売を申立てしました。
> 　不動産強制競売事件では、当該建物について法定地上権が認められ、土地価格から60％の法定地上権減価がされてしまい、しかも法定地上権の負担付きの土地だけの売却となってしまったため、落札者は現れず、いわゆる三振アウト（民執法68条の３）で、不動産強制競売は取り消されてしまいました。

解説

1　失敗の原因

未登記物件でも差押えあるいは仮差押えは可能です。

　ですので、土地の強制競売を申立てしたときに、建物も併せて対象としておけば済んだ話といえます。これを知らなかったことが甲弁護士の失敗です。

　なお、貸金請求訴訟を提起する前に、未登記の建物および土地の仮差押えも可能ですから、そこから始めることもできました。

2　未登記物件の差押え

① 嘱託登記

　　不動産強制競売の執行方法は、差押登記です（民執法46条、48条）。不動産仮差押えの保全執行は、仮差押登記です（民保法47条1項、3項）。

　　一見すると、甲弁護士が考えたとおり、そもそも登記されていないので差押登記ができないと思えます。

　　しかし、仮差押登記、あるいは差押登記は、裁判所書記官が登記官にこれらの登記を**嘱託**します。

　　そして、この嘱託を受けた登記官は、当該不動産に表題部登記あるいは保存登記がない場合は、**職権で表題部登記あるいは保存登記をします**（不登法75条、76条2項、3項）。

　　つまり、未登記物件でも**開始決定等が発令されさえすれば、後は嘱託と職権で登記できてしまう**ので、差押え等は可能となります。

② **未登記物件の差押え等の要件**

　　以上のように、理論上、未登記であっても差押え等は可能なのですが、その要件や必要となる書類は少々ハードルが高いです。

　　要は、次の表のとおり、当該未登記不動産が債務者の所有であることの証明と各種図面が必要になります（民執規23条2号）。

■未登記物件の（仮）差押えで必要となる書類

種　類	具　体　例
所有権を証明する資料	固定資産税評価証明書、固定資産税納付証明書
	行政庁が建築に関して交付する許認可、確認等の書面（消防法7条、建築基準法6条等）
	土地売買契約書、建築請負契約書、建築請負人の証明書等
図　面	（建物）建物図面、各階平面図（不登令7条1項6号別表32ロ）
	（土地）土地所在図、地積測量図（不登令2条2号、3号）

所有権を証明する資料は、証明の問題ですので、具体例としてあげたもの全てが必要になる訳ではなく、立証できる資料であれば一つでも、あるいはその他の資料でも可です。

　図面は、土地家屋調査士や測量士に作成してもらう必要があります。

③　当職の経験談

　当職も、未登記建物の強制競売（差押え）をした経験があります。

　もともと仮差押えを検討していたのですが、固定資産税評価証明書等はなく（課税庁に聞いたところ課税漏れとのこと）、ただ決算書には資産として未登記建物が計上されていたので、これを疎明資料としたのですが、面接した裁判官から「疎明が足りない」と言われ、いったんは取り下げました。所有の証明ができればよいので、その後の金銭請求訴訟で、所有者が被告であることの確認請求を併合し、無事勝訴判決を得ることができました。この判決を利用して未登記建物が被告所有であることの証明としました。

　なお、このケースでは駄目でしたが、未登記建物でも固定資産税が賦課されていることは多いので、まず固定資産評価証明書を取ってみることです。

　苦労したのは建物図面で、敷地に立ち入ることは当然できません。しかし、外から見ただけでもアバウトながら建物図面は作成可能とのことでしたので、土地家屋調査士に依頼し、図面もできました。図面に関しては、建物の表題部登記をするにあたり、床面積の記載が必要ですので、それができる程度の精度であればよいということです。

　最後に、固定資産評価証明書に代わる建物の評価を示す資料が必要になったのですが、法務局に備え付けられている新築建物価格認定基準表と減額限度表を入手し、これに基づいて算定した金額を当職の報告書の形で提出して事なきを得ました。

　正直結構大変でした。レギュラーな方法とはいえないでしょう。

3　相続登記未了物件の（仮）差押え

①　概説

相続は発生したけれど、物件の登記名義人が被相続人のままという場合の（仮）差押え等の手順を説明します。

基本的には、債権者代位権を行使して、法定相続登記をした上で（仮）差押え登記をします。

②　仮差押え

ⅰ　相続調査

相続調査を行い、相続人を確定させます。相続放棄の有無も照会し、相続放棄の申述がないことの証明書まで取った方がよいでしょう。相続人が不存在の場合は相続財産管理人の選任が必要です。

ⅱ　申立て

確定した法定相続人を債務者として仮差押えを申立てします。

ⅲ　代位登記

仮差押決定が発令されたら、**当該正本を代位原因証書**（不登令7条1項3号）として、法定相続人に代位して（不登法59条7号）、法定相続登記をします。

ⅳ　仮差押登記

上記の登記事項証明書を保全裁判所に提出します。後は、書記官が嘱託で仮差押登記をします。

③　不動産強制競売

ⅰ　相続調査

上記②のⅰと同様です。

ⅱ　承継執行文の付与

基準日以後に相続が発生したことを前提として（**第4章25**（164頁）参照）、この場合、相手方に承継が生じていますので、債務名義に承継執行文の付与を受ける必要があります（**第2章12**（86頁）参照）。

ⅲ　代位登記

承継執行文の付与を受けたら、**当該執行文付き債務名義を代位原因証書**として、法定相続人に代位して、法定相続登記をします。

iv　不動産強制競売申立・差押登記

　上記の登記事項証明書を使って、不動産強制競売を申し立てます。
後は、書記官が嘱託で差押登記をします。

④　**担保不動産競売**（民執法180条1号、**第2章14**（98頁）参照）

　i　相続調査

　前記②のiと同様です。

　ii　担保不動産競売申立

　法定相続人を所有者もしくは債務者兼所有者として担保不動産競
売を申し立てます。

　この際、執行裁判所に競売申立受理証明の申請を行い、受理証明
を交付してもらいます。

　iii　代位登記

　当該受理証明を代位原因証書として、法定相続人に代位して、法
定相続登記をします。

　iv　差押登記

　前記②のivと同様です。

4　区分所有建物の（仮）差押え

　マンション等の区分所有建物の場合、区分所有建物とその敷地権は
別個に処分できませんから（区分所有法22条）、併せて申立てする必
要があります。といっても基本的に登記事項証明書の記載どおりに物
件目録を作ればよいだけです。

　気をつけるべき点は、昭和58年の区分所有法改正以前の物件です。
改正法以前では、分離処分禁止の規定がないため、敷地権と区分所有
建物は別々に登記されていますので、敷地の登記事項証明書も取得し、
物件目録に反映させる必要があります。

　また、細かい話ですが、昭和58年改正以後の物件は、区分所有建物
と敷地権の登記が一本化されていますが、**固定資産税評価証明書は区
分所有建物と敷地の両方を取得する必要があります。**

5　共有持分の（仮）差押え

　共有持分は、みなし不動産とされます（民執法43条2項）。とはいえ、あまり難しい話はなく、物件目録に「この共有持分○分の○」と記載すればよいだけです。

こうすればよかった

　未登記建物であっても土地と当該建物の所有者が同一である限り法定地上権が成立し（大審院判昭14.12.29民集18号1583頁）、土地から大幅に減価されてしまいます（**第2章10**（72頁）参照）。このような場合は、未登記建物に対する差押えが可能かどうかまず見極めをすべきです。基本的には、当該建物が債務者の所有と証明できるかどうかにかかっていますので、最低限、固定資産税評価証明書等を取得すべきでした。

　公的な証明書の類いはないが、所有権を立証し得る事情がある場合、本案訴訟の段階で所有権確認請求等を併合することも考えられます。

　ただし、手続のハードルが高くなるので、十分検討した結果、断念を選択することもやむ得ないと思います。

これがゴールデンルールだ！

未登記物件でも差押え等できる場合がある。諦めないで差押え等の可否を検討しよう。

⑭ 登記情報は前日に取れ

〈最新情報の重要性〉••••••••••••••••••••••• ▶

失敗事例 1ヶ月以内のものであれば可、じゃないの？

甲弁護士は、Ｘ銀行からＹに対する担保不動産競売事件を受任しました。

受任に際し、不動産登記事項証明書等の必要書類は、全て銀行の方で用意されており、甲弁護士は、ラッキーと思いました。その後、申立書の起案も終えて、明日にでも申立てしようと、最終チェックを行っていたところ、不動産登記事項証明書の日付が27日前のものでした。裁判所のHPを確認すると、「1ヶ月以内のものであればよい」ということでしたので、甲弁護士は、そのままそれを使用して申立てを行いました。

無事に開始決定も発令されたのですが、その後、書記官から「物件の所有権の登記名義が別人の名義になっており、差押えの嘱託登記ができません」との連絡がありました。

あわてて甲弁護士が不動産登記事項証明書を取ってみると、なんと申立日の3日前にＹからＺへの所有権移転登記がなされていました。

解説

1 失敗の原因

依頼者が銀行等の金融機関ですと、担保不動産競売等に手慣れていて、必要書類を全部整えた上で依頼されることがあります。大変助かるのですが、往々にして、取得してから若干時間が経過している場合が多く、必要書類（不動産登記事項証明書、商業登記事項証明書、住民票）の有効期限（一般的には1ヶ月です）ギリギリということがあ

ります。

　甲弁護士の失敗は、**最新の不動産登記事項証明書を取得しなかった**ことです。確かに裁判所の有効期限内なので手続的に不備はないのですが、その**１ヶ月の間に、物件に変動がないとはいい切れません。**

　当職の知っている事案では、登記簿謄本（当時の名称）取得日の29日後に不動産競売事件（現在の担保不動産競売事件）を申し立てたところ、申立日の数日前に、普通建物だったものが区分所有建物に変更登記されていたということがあります。

　やはり、情報は最新のものにしておく必要があります。

　少なくとも不動産登記事項証明書は、申立ての前日に取得し、確認しておく必要があります。

2　担保不動産競売

① 概説

　担保不動産競売とは、不動産に対する担保権（実務上はほとんど抵当権なので、以下、抵当権の例）、すなわち抵当権の優先弁済権の実行です（民執法180条１号）。

　手続的には、不動産強制競売事件とほぼパラレルで、多くの規定が準用されます（同法188条）。

　なお、**抵当権の物上代位権**（民法372条、304条）の実行方法としては、抵当物件の賃料差押え（実務上は「**賃差し**」と呼ばれる）があります。実態は債権執行手続（民執法193条、143条）です。

② 特色

　担保不動産競売事件は、抵当権の実行ですから、抵当権の効果に応じて、以下のような特色があります。

ⅰ　債務名義不要

　判決等を必要としないのは、担保権の最大のメリットですね。**抵当権設定登記がされた登記事項証明書を提出**すれば（民執法181条１項３号）競売できます。

ii 第三者への対抗

　抵当権も物権ですから、抵当権設定登記をすれば、当該登記の後に対抗力を具備した第三者に対抗できます。

　失敗事例のように、抵当権設定登記後に、YからZに所有権移転登記がされても、第三者Zは、抵当権者X銀行に対抗できませんから、Zを相手方（所有者）として、競売手続を進めることができます。**抵当権の追求効ともいいます。**

　当該登記後に引渡しを受けた抵当物件の賃借人Aにも抵当権者は対抗できます。これが意味することは、物件の価額評価に関して、占有減価がされることはなく、その買受人は、**引渡命令**（民執法83条）という簡易な手続で明渡しを求めることができるということです。

　逆に、抵当権設定登記より先に引渡しを受けた賃借人B（**最先の賃借権**などといいます）には、抵当権者は対抗できません。その意味するところは、物件の価額評価に関して、占有減価がなされ、買受人は、賃借権付きの物件を取得しなければならないということです。

■登記日と第三者への対抗

　昔話になりますが、平成15年の民事執行法・民法改正以前は、短期賃借権の保護や第三取得者の滌除・増価競売という制度があり、執行妨害目的で濫用され、ずいぶん悩まされたものでした。現行法

ではこれらの規定は廃止されています。

iii　優先弁済効

　登記された抵当権は、**劣後する権利に対して、優先的に弁済（配当）を受けられます。**

　例えば、抵当権設定登記後に、別の債権者が不動産強制競売で差押えした場合でも、抵当権者は、登記された債権額＋2年分利息あるいは根抵当権であれば極度額の範囲で優先的に配当を受けられます。その結果、遅れる差押債権者（下表の3番差押登記）に配当が見込めない場合、つまり無剰余の場合は、不動産競売事件が取り消されます（民執法63条2項。**第2章11**（78頁）参照）。

　先順位抵当権と後順位抵当権の場合も同様です。

■物件評価額が300万円の場合（執行費用は除外）

登　　記	債権額（極度額）	配当見込額
1番根抵当権登記	200万円	200万円
2番根抵当権登記	300万円	100万円
3番差押登記	500万円	0円

iv　実体法上の瑕疵を理由とする執行異議・執行抗告

　違法な執行手続を争う方法として、**執行抗告と執行異議**（民執法10条、11条）という制度があります。強制競売事件の場合、実体法上の瑕疵（例えば請求債権は消滅した等）は理由にはなりません。なぜならば、すでに債務名義取得の段階で一定の公権的判断がなされており、それらの違法事由は、別途、**請求異議訴訟**で解決すべきだからです（同法35条）。

　一方、担保不動産競売の場合、抵当権やその被担保債権の存否は、何ら公権的に判断されていません。登記事項証明書だけで手続できます。登記官には形式的審査権しかありません（不登法25条）。したがって、**担保不動産競売の場合、担保権の不存在または消滅を執行異議・執行抗告の理由とすることができます**（民執法182条）。

3　手続相対効

　不動産強制競売あるいは担保不動産競売の開始決定（民執法45条、188条）が発令されると差押登記が嘱託で登記され（同法48条、188条）、実務的には、登記完了後に債務者等に開始決定が送達されます（同法45条2項、188条）。

　差押えがなされても、債務者（所有者）は、物件を自由に処分でき、使用収益も妨げられません。ただし、この差押えにより、**手続相対効**という効果は発生します（**第4章27**（180頁）参照）。

　差押え後に債務者（所有者）の行った行為は、当該執行手続に参加する全ての債権者に対して対抗することができません。競売事件の進行により、物件が売却されると、無効となります（同法59条2項）。

　具体的には、買受人が代金納付をした場合、書記官が嘱託でこれらの登記の抹消登記をします（同法82条1項2号）。

　全ての債権者に対抗できなくなるとはどういう意味か？　下図で示す時系列に即していえば、Zの抵当権登記はXの差押登記に劣後するので負けるのは当然です。しかし、先後からいえばAの配当要求（同法51条、**第2章17**（114頁）参照）は、Zの登記に勝てないはずです。差押債権者との関係のみに着目するこの考え方を個別相対効説といいます。

　しかし、手続相対効説では、Xの差押登記を基軸とする執行手続のいわば総体に着目しますので、執行手続との関係で第三者の権利取得は効力を否定されます。したがって、執行手続に参加する全ての債権者は、Zに勝つことができます。具体的には、配当要求という形で執行手続に参加しているAは、Zに優先して配当を受けることができます（同法87条1項2号、4号。4号では配当を受けられる抵当権者は差押登記前に登記したものと規定されています）。

■ Xの差押登記と第三者の権利取得

Y 所有　　　　　　　　　Z 抵当権

```
─────────────────────────────────────▶ （時間軸）
        ↑              ↑              ↑
   X 差押登記    Y → Z 抵当権登記   A 配当要求
```

こうすればよかった

　申立てまでの間に、物件の権利関係が変動している可能性があります。また、権利関係でなく、物理的に滅失・毀損している可能性もあります。

　さしたる手間ではないのですから、そういう場合も念頭において、甲弁護士は、手抜きをせず、申立ての前日に不動産登記事項証明書を取得し、確認しておくべきでした。

　ただ、本件事例は、担保不動産競売事件（抵当権の実行）ですので、救われます。説明したとおり、抵当権には追求効がありますから、第三者Zに所有権が移転されてもさほどダメージはなく、競売事件は続けられます。リカバリー方法も簡単で、開始決定の当事者目録の記載を「債務者兼所有者Y」から「債務者Y　所有者Z」とする更正決定の申立てと最新の不動産登記事項証明書を提出すればOKです。

　これが不動産強制競売事件で仮差押えしていないとやっかいです。詐害行為取消訴訟で所有権移転登記を抹消し、名義をYに戻してから再度不動産強制競売という手順になります。その保全措置として、処分禁止仮処分も必要でしょう。

　裏を返せば、不動産登記事項証明書を取ったら即、申立てすべきであり、もっといえば債務名義を取ったら即、申立てすべきといえます。

⚹ これがゴールデンルールだ！

不動産登記事項証明書は、申立ての前日に取得する。

3点セットはすぐに取れ

〈開始決定後の事件管理〉‥‥‥‥‥‥‥‥‥‥‥▶

失敗事例 情報の取得遅れでしくじり

甲弁護士は、Yに対する不動産強制競売事件を受任しました。

甲弁護士は、Yに対する債務名義を使用して、Yが所有する借地権付建物の不動産強制競売事件を申し立て、無事その開始決定も発令されました。

「後は配当を待つだけだ」と思い、甲弁護士は次の事件処理に邁進していました。ずいぶん時間が経ってから、執行裁判所から期間入札の通知が届きました。その内容を見て甲弁護士は愕然としました。売却基準価額が、想定していた価格の5分の1程度だったのです。

甲弁護士がBITで3点セットを見てみると、物件明細書には「本件建物の敷地に関連して、建物収去・土地明渡訴訟における原告勝訴判決が確定している。」との記載があり、評価書を見ると、敷地利用権価格（借地権価格）から90%の係争減価がされてました。どうやらYには地代の滞納があり、地主から地代不払いで借地契約を解除され、訴訟にまで至ってしまったようです。

このような物件であったため買受人は現れず、いわゆる三振アウトによって、強制競売事件は取り消されてしまい、建物は収去されてしまいました。

解説

1　失敗の原因

競売事件の開始決定が発令されると、後は執行裁判所が手続を進行

させますので、極論すれば、差押債権者は何もする必要がない、ともいえます。

しかし、**開始決定後に物件の形状変化や権利関係の変動がない**とはいい切れません。

本件事例は、借地権付建物の競売事件です。仮に建物単体価格が100万円、敷地価格が1000万円で借地権割合が70％の地域であったとすると、その評価額は、100万円（建物価格）＋1000万円×70％（敷地利用権価格）＝800万円ほどと見込まれます（**第2章10**（72頁）参照）。しかし、地代不払いにより借地契約が解除されて消滅してしまったらどうなるでしょうか？　敷地利用権価格は理論上0円になり、建物だけの競売になります。そんな物件は基本的に誰も買いませんので、競売事件における価値はほぼ0円です。

借地物件の場合、借地権が生きていることが物件価値（担保価値）の源泉です。地代の不払いがあれば解除によってこれが消滅するリスクがあります。そのため、民事執行法には、地代等が不払いの場合、裁判所の許可により、差押債権者が建物所有者に代わって弁済する制度があります（56条）。これを**地代代払い許可**などといっています。

甲弁護士の失敗は、地代代払い許可を行わず、地代不払いの事実を漫然と看過し、地主に借地契約解除の機会を与えてしまったことです。代払いができていれば、地代不払いを理由とする解除は、極めて難しくなります。

そして、地代不払いの事実を知る手がかりとして、3点セット、特に現況調査報告書が有力な情報源になります。

2　3点セット

①　意義

第2章11（78頁）でも簡単に触れましたが、現況調査報告書（民執規29条）、評価書（同規則30条）、物件明細書（民執法62条）の3つを実務上**3点セット**といいます。

3点セットは、公開されます（民執法62条2項、民執規31条3項）。

簡便なのは「BIT」（https://www.bit.courts.go.jp/app/top/pt001/h01）で閲覧・ダウンロードすることですが、期間入札期日が決まってから公開されますので、公開までに時間を要する上に、個人情報は当然黒塗りされています。3点セットの具体例は、上記 BIT で適当な物件を見てもらうのが早いです。

　なお、**差押債権者**であれば、利害関係人であることは明らかですので、公開を待たずに、これら書面（3点セット）が執行裁判所に提出され、許可を受ければ、黒塗りのない情報を**閲覧・謄写できます**（民執法17条）。

② **現況調査報告書**

　執行官が現地を調査し、不動産の形状、占有関係その他の現況等（民執法57条）を記載した書面です。略して現調（げんちょう）などといいます。

　現調を見ることで、物件の物理的形状や占有者の有無等が分かります。ですので、物理的な価額減少行為や不法占有者がいるような場合、差押債権者は、売却のための保全処分（民執法55条）等の価額減少行為の防止・排除措置を取ることができるようになります。

　現調に記載すべき内容は、民事執行規則29条で規定されていますが、その中には、建物所有者の敷地占有権原に関する関係人の陳述や関係人が提出した文書の要旨があります（1項5号ニ）。本件事例に即していうと、関係人である地主から、地代が支払われていない旨や、訴訟を提起したことなどが現調に書かれていた訳です。

③ **評価書**

　その名のとおり、評価人（不動産鑑定士）が不動産の鑑定を行い（民執法58条）、その評価＝価額を記載した書面です。

　評価書における評価額は、ほぼ売却基準価額となりますので、これを見れば、最低限どれくらいの価額で落札され、配当になるかの予想がつきます。

　平成の半ば頃から、評価額が想定金額よりはるかに高いという現象も見られるようになりました。もし差押債権者が一部請求で競売

申立てをしていたのであれば、直ちに二重開始決定（同法47条）を得るか、配当要求（同法51条）をしなければ、取りっぱぐれるおそれがあります（**第2章17**（114頁）参照）。

評価額が想定金額より著しく低いという場合は、物件に何かの異常が発生している可能性が高いケースです。例えば、建物賃借人がバックデートした賃貸借契約書を提出し、最先抵当権あるいは最先差押え以前に対抗要件（引渡し）を具備したことを主張し、これが次に述べる物件明細書で認められたような場合です。この場合、当該賃借権（**最先賃借権**）は買受人に対抗できますので、物件価額から一定割合（20〜40％程度とされます）の**占有減価**がされてしまいます。敷金・保証金の差し入れがあればその分も引かれます。

対応策として、差押債権者の方で賃借人の占有時期を証明できるのであれば、物件明細書及び評価書（売却基準価額の決定）に対して執行異議等を申し立て（同法62条3項、11条）、物件明細書を訂正させ、再評価してもらうという手段が考えられます。

本件事例のように、**借地権の存否に争いがある場合、係争減価がされます**。その減価率は、段階に応じて決められますが、大体のところで、解除された段階で20％程度、明渡し等の訴訟提起された段階で50％程度、明渡し等の訴訟の賃貸人勝訴判決が確定した段階で80％以上、といったところです。

本件事例では、賃貸人勝訴の判決が確定してしまいましたので、敷地利用権価格700万円（1000万円×70％）から90％の減価がされてしまい、売却基準価額が170万円程度（建物単体100万円＋敷地利用権価格70万円）になってしまったのです。ここまで来てしまうともう手の打ちようがありません。

④　**物件明細書**

裁判所書記官が現況調査報告書、評価書その他の資料を検討し、買受人が負担することとなる他人の権利（主として賃借権）、法定地上権の概要、その他物件の占有関係など買受けの参考となる事項を記載したものです。略して物明（ぶつめい）などといいます。

先ほどの最先賃借権の例でいえば、物明の末尾に以下のような記載されます。

「上記賃借権は最先の賃借権である。期限後の更新は買受人に対抗できる。」

敷地利用権に関しても、例えば、

「上記借地権につき、地主から賃貸借契約解除の意思表示あり。」
などと記載されます。

物明を見ることで、買受人は、どのような権利（主に賃借権）を負担するのか、どのような権利が付いているのか（借地権や法定地上権）が分かり、買受けの際の判断材料になります。

逆に、差押債権者等からすれば、競売事件の阻害要因が何かが分かります。

3　地代代払い許可

① 概説

債務者（建物所有者）の地代等の不払いによって、借地権が解除されることを予防するため、差押債権者は、裁判所の許可を得て、地代等を地主に代払いすることができます（民執法56条）。

地代代払い許可を得なくても、債権者は、原則として第三者弁済（民法474条）ができますが、地代代払い許可を得ておくと、**支払った地代は執行費用として認められる**（民執法56条2項）というメリットがあります。そのため、実務上は、ほぼ地代代払い許可を得て代払いしています。

② 申立て

地代代払い許可の申立ては、比較的簡単です。所定の書式に債務者が地代の支払を怠っている事実を記載すれば、まず許可されます。

ただ、地代不払いの事実と地代額の記載は必要ですから、3点セットの現調を見て、これらの記載をすることとなります。

③ 代払いの対象となる地代

過去の滞納地代も代払いの対象となります。また、地主から解除

の意思表示がなされても代払い可能です。したがって、滞納分を代払いしてしまえば、遅滞した事実はともかく、地代滞納は解消され不履行の事実はなくなりますので、その他の事情がない限り信頼関係が破壊されたとまではいえなくなるでしょう。

④　代払いの方法

　地主に代払いの許可決定を提示した上で、送金先等を教えてもらい、地代を代払いしますが、受領拒絶をされることが多いと思います。その場合は、供託します（民法494条1項1号）。

こうすればよかった

　開始決定が発令された後のやることリスト（ToDoリスト）あるいはスケジュールをきちんと策定しておくべきでした。特に3点セットは、全て揃うのを待つのではなく、それぞれの書面が執行裁判所に提出される頃合いを見て執行裁判所に確認し、閲覧・謄写等を行い（3点全てそろわないと閲覧等認めないとする裁判所もあります）、物件の現状がどうなっているか確認すべきです。

　本件事例では、地主から地代滞納の旨や解除する意思がある、あるいは訴訟提起した等の情報が現調に反映されていると考えられるので、それをもとに地代代払い許可申立て等の対抗措置をとることができ、借地権を保全することができました。

　明渡訴訟がすでに提起されてしまった場合は、当該訴訟に補助参加し、借地契約が終了していないことの主張・立証を行うこととなります。

これがゴールデンルールだ！

　3点セットは、出来次第、閲覧・謄写する。

⑯ 横取りされる

〈優先債権に注意〉••••••••••••••••••••••••••••• ▶

失敗事例 **マンション管理費、修繕積立金は先取特権**

甲弁護士は、Yに対する強制執行事件を受任しました。

甲弁護士が調べたところ、Yは、バブル期に建てられたリゾートマンションの1室を所有し、うれしいことにその物件は無担保でいわゆる裸の物件でした。さらに相場価格を調べてみたところ、すいぶん値崩れしていましたがそれでも200万円ほどで取引されており、請求債権はほぼ全額回収できそうでした。

甲弁護士は、判決を債務名義として、当該マンションに強制競売の申立てを行い、無事に発令されて競売事件が進行していきました。

ところがその後、執行裁判所から、二重開始決定がなされたのと通知が来ました。その開始決定を見てみると、当該マンションの管理組合がYに対する未納となっている管理費・修繕積立金約300万円を請求債権として競売したものだということが分かりました。

当該物件は、300万円で無事落札され、配当となりましたが、配当表を見て甲弁護士は愕然としました。執行費用の配当はあったものの、その他の売却代金は全てマンション管理組合に配当されていたからです。

「プラスマイナス0だった」そう言うしかない甲弁護士でした。

解説

1　失敗の原因

本件事例は、特に甲弁護士に大きなミスがあった訳ではないので、仕方がない事案であったといえるでしょう。

なぜ、甲弁護士が行った先行の強制競売事件に配当がなかったかというと、マンション管理組合が申し立てた後行競売事件は、担保権の実行としての担保不動産競売事件であり、**先行事件の一般債権に優先する債権**であったためです。

　というのは、マンション管理組合の債権は、当該マンションの管理費・修繕積立金です。この管理費等は、滞納者の区分所有権つまりマンションの１室に対して**先取特権**を有していて、共益費用の先取特権（民法306条１項）と同順位・効力を有しているのです（区分所有法7条１項、２項）。

　一般の先取特権は、登記しなくても一般債権者に対抗することができます（民法336条）。したがって、競売売却代金300万円は、まず執行費用に配当され、次に管理組合の300万円の管理費等に配当されますので、これで全て使い切ってしまい、甲弁護士の競売事件にまでは配当が回らなかった訳です。

2　配当の順位

　競売事件で代金納付がなされると配当手続へと進みます（民執法84条）。配当は、配当表に基づき実施され、配当表には配当の順位、額額を定める必要があります（同条１項、85条１項）。

　そして、**この順位は、民法、商法その他の法律の定めるところによらなければならないと定められています**（民執法85条２項）。

　これらの法律に従って、一般債権より優先する債権を**優先債権**といっています。

3　気をつけるべき優先債権

　優先債権として典型的なのは、登記された抵当権です。これはもう登記事項証明書を見れば分かりますから、競売の申立てを検討するとき、物件の予想落札価額をベースにそろばんを弾くだけです。

　ただ恐ろしいことに、登記されてなくても優先債権となるステルス性の高い債権があります。具体的には、**先取特権と公債権**です。これ

らについて知るには、直接債務者から聞くか、予兆をつかむしかあり
ません。

4　先取特権

　先取特権というと、受験生の頃少し勉強したかなぁ、というレベル
ではないでしょうか。実務的には、倒産事件で、給与債権は優先的破
産債権になる（破産法98条２項、民法308条）という形でその存在を
実感できます。

　ただ、**先取特権も担保権であり優先弁済効がありますから、担保権
の実行として担保不動産競売が可能**です（民執法180条１号、181条１
項４号）。

　先取特権に基づく競売事件は珍しい類型ですが、本件事例のように
管理組合が滞納管理費等で競売することはしばしば見られます。競売
のほか、配当要求や物上代位として賃料の差押えを行うこともありま
す。当職の経験ですが、動産執行事件で、動産売買の先取特権で配当
要求した上で（同法133条）、債権者が売却した動産を競落し（買戻し）、
その代金を配当してもらったという不思議な事件をやったことがあり
ます。

　さて、前述のとおり、一般の先取特権は、登記しなくても一般債権
者に対抗することができるので（民法336条）、一般債権に対して優先
債権になります。強制競売事件に対して、先取特権に基づき配当要求
がなされたり（民執法51条１項）、二重開始決定（同法47条）がなさ
れた場合（正確には、配当要求の終期までに開始決定を得た場合。**第
２章17**（114頁）参照）は、先取特権者に優先的に配当がなされ、さ
らに剰余があった場合にのみ、一般債権者は配当を受けられるにすぎ
ません。あたかもトンビに油揚げをさらわれる状態です。

5　公債権

　国税徴収法８条は、国税（所得税、法人税等）は、全ての公課その
他の債権に先立って徴収すると規定し、**国税優先の原則**を定めていま

す。**一般債権は国税にはかないません。**

　またまた、恐ろしいことに抵当権付の債権であっても、**抵当権設定登記が国税の法定納期限より遅れる場合は、国税が優先します**（国税徴収法16条）。

　地方税（住民税、事業税等）も**地方税優先の原則**があります（地方税法14条、14条の10）。

　年金保険料、健康保険料等の公課もたいていは、「国税徴収の例によって徴収する」（例として国民年金法95条）と規定されていますので、同じような規定がある**公課も私債権に優先します。**

　競売事件が開始されると、執行裁判所は、租税その他の公課を所管する官庁または公署に債権届の催告をします（民執法49条2項3号）。よって、公租公課に滞納があれば、官庁等は、確実に交付要求（国税徴収法82条）をしてきます。後は、トンビに油揚げ状態に陥る訳です。

6　二重開始決定

　すでに競売事件が開始されていても、追っかけで競売申立てを行い、さらに開始決定を得ることができます。これを**二重開始決定**といいます（民執法47条）。**第2章17**で詳しく説明します。

こうすればよかった

　債務の返済が滞っている債務者は、公租公課や管理費等も延滞している場合が多く、しかも本件事例のようにバブル期のリゾートマンション等ですと、管理費の滞納があることの予想がつきます。

　マンション管理組合に管理費等の滞納の有無を確認してから競売してもよかったかもしれません。

✴ これがゴールデンルールだ！

　優先債権に横取りされることもある。そのリスクも考えておく。

⑰ 差押物件でも諦めない
〈配当要求〉 • ▶

失敗事例 貪欲にいけば回収できたのに……

　　X会社は、Y社に売掛債権を有していたところ、返済が滞っていました。そんな折、Y社の自社ビルが抵当権者から競売にかけられたという情報がX会社に入りました。

　　X会社は、直ちに甲弁護士に相談し、焦げついている売掛金の回収方法についてアドバイスを求めました。

　　甲弁護士がY社自社ビルの登記情報を調べると、確かに極度額3000万円の根抵当権を有するA銀行が担保不動産競売の開始決定を得ていること、開始決定が発令されてからすでに2ヶ月ほど経過していることが分かりました。さらに、X会社に、当該物件の評価額を聞いてみると、丁度3000万円程度ではないかということでした。

　　甲弁護士は、今から判決を取るとしても当該競売事件の配当までに判決を取ることは難しいこと、A銀行への執行費用と配当で全て終わってしまい、剰余が見込めないことから、受任を断りました。

　　8ヶ月ほど経過した後、X会社の担当者から甲弁護士に以下の内容の電話がありました。

　　「先生、その節はお世話になりました。例の件ですが、乙弁護士に頼んだところ、お陰様で無事に配当をもらうことができました。取り急ぎご報告しておきます」

　　え、え、どうやったの？　甲弁護士はきょとんとするばかりでした。

1 失敗の原因

　まず、甲弁護士の一つ目の失敗は、評価額3000万円と聞いて、それ以上高値で落札される可能性をあまり深く考えず諦めてしまったことです。**第2章11**（78頁）で述べたとおり、競売事件は、競争入札を行いますので、競争原理により予想外に高い値段がつくことがしばしばあります。落札価額が、売却基準価額の1.5倍はざらに見かけますし、都心の一等地という好物件では、6倍というのもありました。

　二つ目の、そして最大の失敗は、**配当要求**による回収という手段を全く考えなかったことにあります。

　甲弁護士が使えないので、X会社が依頼した乙弁護士は、受任後直ちに当該物件に仮差押えを行い、**差押登記後に登記された仮差押債権者として、配当要求し**（民執法51条1項）、配当を得たのでした（同法87条1項2号）。この方法によれば、迅速に仮差押登記さえとれれば配当受給資格を得られますので、その後の本案訴訟でどれだけ時間がかかろうが、配当金をがっちり保全できます。

2 配当を受けるべき債権者（配当受給権者）

① 概説

　不動産競売事件（不動産強制競売、担保不動産競売）、債権執行事件（供託された場合）および動産執行事件は、配当を行って事件が終了します。それが目的の制度ですから、当然といえます。

　差押債権者は当然配当を受けられますが、それ以外にも配当受給権を有する債権者は複数存在します。なお、いずれの手続でも、公債権の債権者（**第2章16**（110頁）参照）は、滞納処分による差押え、参加差押え、交付要求を行っていれば、国税徴収法、地方税法等の規定に従い、配当受給権者となります。

② 不動産競売事件

　不動産競売事件の場合、配当受給権を有するのは、差押債権者（民

執法87条1項1号）のほか、**差押登記前に登記した仮差押債権者（同項3号）および抵当権者等（同項4号）**、そして、配当要求の終期までに**配当要求した債権者（同項2号）**となります。

図示すると、以下のとおりです。

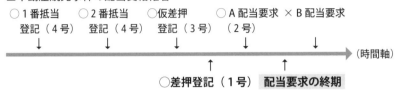

■不動産競売事件の配当受給権者

○印がついている債権者は、配当受給権者。
×印がついている債権者は、配当を受けるべき債権者ではない。

　上記の図で、仮差押えの登記が、1番抵当登記より先であった場合は、どうなるでしょうか？

　この場合、仮差押えの手続相対効により、1番及び2番抵当権者は、仮差押債権者に劣後し、原則として配当受給権はありませんが、当該仮差押債権者が本案訴訟で敗訴した場合あるいは仮差押えが失効した場合に限り、配当受給権者となります（民執法87条2項）。

③　債権執行

　配当受給権者は、配当加入遮断効（配当要求の終期）が生じたときまでに、差押え、仮差押えの執行（第三債務者への送達）をした債権者と**配当要求をした債権者**です（民執法165条）。

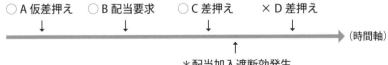

■債権執行事件の配当受給権者

＊　配当加入遮断効発生事由
　ⅰ　第三債務者が執行供託をした時（民執法165条1号）。
　ⅱ　取立訴訟の訴状が第三債務者に送達された時（同条2号）。
　ⅲ　売却命令により執行官が売得金の交付を受けた時（同条3号）。
　ⅳ　（動産引渡請求権の場合）執行官が動産の引渡を受けた時（同条4号）。

なお、上記の図では、Bの配当要求により、第三債務者はAの仮差押債権額の範囲で義務供託（同法156条2項）をすることとなるので当該供託がなされると仮差押債権額の範囲で配当加入遮断効が発生しますが、仮差押債権額＝第三債務者の債務全額とすると、Cは、供託前に差し押さえたので配当受給権者ですが、Dは供託後なので配当受給権者になりません。

　ちなみに、供託するとなぜ配当加入遮断効が生じるかというと、その時点で債務者の本来の第三債務者に対する債権（被差押債権）は消滅し、**供託金還付請求権**に代わるからです。

④　**動産執行**

　配当受給権者は、差押債権者のほか、配当加入遮断効（配当要求の終期）が生じたときまでに**配当要求をした債権者**です（同法140条）。

■動産執行の配当受給権者

＊　配当加入遮断効発生事由（民執法140条）
　ⅰ　執行官が動産の売得金の交付を受けた時。
　ⅱ　金銭についてはその差押えの時。
　ⅲ　手形等についてはその支払を受けた時。

3　配当要求

①　**意義**

　配当要求とは、すでに係属している民事執行事件に関して、自己に対する配当を求める手続です。

②　**手続**

　配当要求の手続自体は、とても簡単です。

　対象となる執行事件を特定し、債権の原因と額を記載した配当要求書（民執規26条、132条、145条）という紙切れ1枚に、配当要求資格があることを証する資料を添付して執行裁判所（執行官）に提

出するだけです。

この簡便さが**配当要求のメリット**の一つです。

配当要求がなされると、執行裁判所書記官は、債務者と差押債権者に対してその旨を通知します（民執規27条、132条、145条）。

③ 配当要求をすることができる者

i 執行力のある債務名義の正本を有する債権者

典型的には、債務者に対して訴訟を提起し、その認容確定判決（勝訴判決）を得て、執行文の付与を受けた債権者です（民執法22条1号、25条）。

配当要求資格があることを証する資料として、当該債務名義を提出します。

債務名義を有する債権者は、**不動産競売および債権執行事件において、配当要求ができる債権者**となります（民執法51条）。動産執行事件では配当要求債権者になれません。

ii 先取特権を有する債権

典型的には、給与債権者である労働者等です。実務上例が多いのは、**第2章16**で述べた区分所有法に基づくマンション管理費等の債権者です。

条文および対象資産の性格上、配当要求債権者となれる先取特権者は、次の表のとおりです。

■配当要求できる先取特権者

執行手続	先取特権の種別	条　文	備　考
不動産競売	一般の先取特権	民執法51条	不動産先取特権は、登記が対抗要件になり、登記されていれば配当要求しなくとも配当受給権者になる（民執法87条1項4号）。
債権差押え	一般の先取特権と動産先取特権	民執法154条	動産に関しては、動産引渡請求権は債権執行となるため、この場合動産先取特権者も配当要求できる。
動産執行	一般の先取特権と動産先取特権	民執法133条	対象が動産であるため。

配当要求資格があることを証する資料として、先取特権の存在を証する書面を提出します。例えば、給与債権であれば、雇用契約書、給与未払の証明書または報告書。マンション管理費であれば、マンション管理規約、総会議事録、管理費管理台帳等。動産売買の代金債権であれば、売買契約書等が考えられます。

iii　仮差押債権者

不動産競売事件では、差押登記後でも、配当要求の終期までに仮差押え（の登記まで）を行えば、**当該仮差押債権者は配当要求債権者になれます**（民執法51条1項）。

本件事例のように、すでに差押えがなされてしまった場合、判決を取って、債務名義の正本を有する債権者として配当要求なり、二重開始決定なりを行う方法もあり得ますが、常識的に考えて配当要求の終期までに間に合いません。このような場合であっても、慌てず騒がず、仮差押えの申立てを行って、その登記さえしておけば、後は、まあ、のんびりと本案訴訟をして勝訴判決を得ればよいことになります。

仮差押えのままでは、最終的に配当を得ることはできませんが、配当要求さえしておけば、配当金は、供託（配当留保供託）されますので（同法91条1項2号）、がっちり保全されています。後は、供託の事由が消滅したこと（＝本案判決で勝訴判決が確定したこと）を執行裁判所に証明すれば、配当が実施されます（同法92条1項）。具体的には、**第3章21**（140頁）で述べますが、執行裁判所が法務局に支払委託をしますので、債権者はその証明書をもらい、これを添付して供託金の払渡請求をすることになります。

配当期日までに判決が確定した場合は、執行裁判所にその事実を証明すれば、普通に配当されます。

4　配当要求の終期（不動産競売事件）

前述のとおり、配当要求は、**配当要求の終期**までに行わなければなりません。

当職の経験ですが、配当要求の終期まで1週間しかないという事案でなんとか仮差押えの登記までこぎ着けたことがあります。ギリギリでしたが、為せば成ります。

　不動産競売事件の場合、裁判所書記官が配当要求の終期を定めます（民執法49条1項）。実務上は、差押登記の1ヶ月後とされる例が多いようです。配当要求の終期は、配当等を受けるべき債権者以外には、**公告されるのみです**（同条2項）。したがって、配当要求を考えている債権者は、執行裁判所で閲覧するか官報を検索するかして配当要求の終期を確認します。

　配当要求の終期がすでに経過してしまった場合も、まだ諦めるには及びません。当該終期から3ヶ月以内に売却許可決定がなされなかったり、取り消された場合、原則として、**自動的に3ヶ月間配当要求の終期が延長されます**（同法52条）。実務的には、3ヶ月以内に売却許可決定まで進まないことの方が多いので、延長に賭けて、仮差押えをしておくということも考えられます。

5　二重開始決定をすべき場合

　すでに競売事件が開始されていても、追っかけで競売申立てを行い、さらに開始決定を得ることができます。これを**二重開始決定**といいます（民執法47条）。なぜこのような制度があるかというと、先行事件の取下げ、取消しがあっても競売事件を続行できるようにするためです（同条2項）。

　不動産競売事件において、すでに債務名義を得ている場合あるいは先取特権者の場合は、配当要求のほかに、この二重開始決定を得るという方法もあります。ただ、これまで述べたように配当要求は簡便で費用も安いので（手数料500円と若干の郵券代程度）、通常は、配当要求を選択します。ただし、配当要求は、基本となる執行事件に乗っかるだけの手続ですので、基本事件が取消し等されると、そこで終わりとなってしまいます。そうすると、**優先債権で配当要求をしたことによって、基本事件が無剰余取消**（同法63条1項2号、2項）となって

しまう場合が出てきます。

第2章16の事例が、まさにそのケースです。強制競売事件の請求債権に優先する先取特権での配当要求をすると、無剰余取消となってしまうため、マンション管理組合は二重開始決定を選択したのです。

このような場合は、先行事件を利用するため（同条2項）、二重開始決定をすべきといえます。

こうすればよかった

甲弁護士は、配当要求についてもっとよく勉強しておくべきでした。その点を措くとしても、もっと貪欲に回収可能性やその手法を考える姿勢が欠落していたといえます。なお、本件事例で、仮差押えによる配当要求以外の回収方法として、代金納付まで待って、債務者に対する剰余金が発生するようであれば、剰余金交付請求権に対して債権仮差押えをするという方法もあります。

これがゴールデンルールだ！

差押物件でも配当要求できることもある。諦めない。

債権等の仮差押え、執行事件に
まつわる失敗

⑱ 債権仮差押えは一工夫
〈債権仮差押えの保全の必要性〉 ····················· ▶

失敗事例 不動産調査をしなかった

　甲弁護士は、Xさんから、Yに対する貸金債権について、仮差押えを受任しました。

　Xさんの話によると、Yは、上場企業の正社員であり、そこそこの給料とボーナスをもらっているとのことでした。

　甲弁護士は、「しめた！」と思い、さっそく給料債権等の仮差押えの申立てを行いました。

　裁判官面接を行うと、甲弁護士は、裁判官から開口一番、こう質問されました。「先生、給料等の債権以外の資産について、資産調査はされましたか？」。甲弁護士は、「いえ、私は探偵ではないので、資産調査する能力はありませんし、債務者の全資産の有無を調査できません。不可能を強いられても困ります」と答えました。裁判官は、ため息をつくと、甲弁護士にこう言いました。「再面接しますので、債務者の住所地が分かるものと不動産登記事項証明書を追完してください」。

　面接後、甲弁護士がYの住民票を取り寄せ、住所地の登記を調べてみると、所有者はYで、1000万円以上の評価額でした。

　甲弁護士が、再面接で追完資料を出すと、裁判官から、「不動産があって、1000万円の評価となると、債権仮差押えの保全の必要性は認められませんので、取下げを検討ください」と言われてしまいました。

　甲弁護士は、給料等の仮差押えを取下げ、新たに不動産仮差押えを検討せざるを得ませんでした。

1 失敗の原因

　執行可能財産が見つかったのはよかったのですが、これが債権や動産の場合、その仮差押えを行うためには、単に、資産隠匿のおそれがある等の一般的な保全の必要性要件だけではなく、実務的には、もう一工夫必要になります。

　具体的には、**仮差押えする債権等のほかに、債務者に資産がないことを主張・疎明する必要**があります。

　このことを知らなかったことが甲弁護士の失敗です。

2 債権仮差押え等の保全の必要性

　今まで何度か説明してきたとおり、保全事件は、原則として、債権者の言い分と疎明資料のみに基づいて、発令されます。しかも、立証の程度としては疎明でよく、その意味では**一方的に、比較的簡単な手続で債務者は、財産を動かすことができなくなるという大きな打撃を受けること**となります。

　債権仮差押えの場合、保全命令が発令されると第三債務者（債務者の債務者）に対し、弁済禁止効が働くため（民保法50条１項）、債務者はその債権の支払を受けることができなくなります。

　本件事例に即していえば、仮に給料等への仮差押えが発令された場合、Ｙは、勤務先から給料やボーナスの支払が受けられなくなってしまうという大きな打撃を受けます。もっとも仮差押え可能な範囲は、原則として給料債権等の４分の１だけですが（同条５項、民執法152条１項２号）、それでも大きな打撃になります。

　では、債権が預金であればどうでしょう？　債務者が法人でそれが決済口座であれば、下手をすれば資金繰りに窮し、破綻するおそれがあります。販売用商品や在庫商品等の動産の場合であっても、処分不可となりますから（民保法49条１項）同様の事態が考えられます。

　このように、債権や動産の仮差押えは、債務者に対する打撃がとっ

ても大きいのです。

　保全命令を申し立てる場合、債務者の打撃が大きい制度であるとい
うことを頭の片隅に置いておいてください。

　さて、これに対して、不動産の仮差押えはどうでしょう？　これも
何度か説明したとおりですが、保全命令の効果（保全執行）としては、
単に「仮差押」の登記がされるだけです。使用収益することは何ら妨
げられません。販売用不動産であったり、売却予定でもない限り、債
務者の感情は別にしてほぼノーダメージです。

　不動産は、債権・動産に比して、相対的に債務者への打撃は少ない
といえます。

　したがって、仮差押えをする場合、その優先順位は以下のとおりで、
打撃の小さいものからすべきこととなります。

　ドラスティックにいえば、**先順位の財産が存在しないことあるいは**
それだけでは債権の保全ができないことが債権（動産）仮差押えの保
全の必要性の内容になると考えてよいと思います。

■保全の必要性の優先順序

> **不動産　＞　債権　≧　動産**

　なお、気をつけてもらいたいこととしては、何がなんでも常に不動
産仮差押えを優先的に申し立てなければならないというわけではな
く、肝心なのは、債務者にとってより打撃の少ないものは何か、とい
う観点です。

　営業用不動産と供託金還付請求権があったとすれば、後者は債権で
すが、債務者の打撃を考えれば、後者の方がはるかに打撃が小さいと
いえるので、裁判官からは、「まずそちらから」と言われる可能性が
あります。

3　債権仮差押えの疎明資料

　以上のとおり、債権仮差押えをするためには、債務者が不動産を一

切所有していないことを主張・疎明する必要があるといえますが、それは悪魔の証明であり、債権者がそれを行うことは不可能です。

　実務上は、**債務者が、不動産を所有していないことの一応の主張・疎明を行えばよく**、債務者が個人であれば自宅（住所地）の物件が（法人であれば登記上の本店所在地の物件が）債務者所有ではないことの疎明資料を付ければよいとされています。

　当職は、債権仮差押えの場合には通常の疎明資料に加えて、以下の資料を追加して申立てをしています。これまでの経験ですがこれで再面接になったり疎明資料の追完を求められたことはありません。

① **債務者の住民票または法人登記事項証明書**
② **①のブルーマップ**
③ **①の住所地の土地および建物の不動産登記事項証明書**

　若干補足説明しますと、①の法人登記事項証明書は、添付書面として必ず提出しますから、疎明資料と兼用となります。②のブルーマップは、住民票等の住居表示と登記事項証明書の地番のつながりを疎明するため必要になります。

こうすればよかった

　甲弁護士は、債権仮差押えの特性を理解し、最低限、Ｙの自宅の不動産登記事項証明書を取っておくべきでした。

★ これがゴールデンルールだ！

債権仮差押えでは、一工夫が必要。
最低限、債務者住所地の所有関係を調べ、債務者の所有でないことを主張・疎明する。
債務者の所有であれば、まずその仮差押えを検討する。

⑲ お引っ越しに注意

〈情報取得手続における預金情報の特定〉 ⋯⋯⋯⋯⋯ ▶

失敗事例 旧姓時代の住所は調べていない！

　甲弁護士は、Xさんから、配偶者Y（旧姓A）の不貞行為を原因とする離婚請求訴訟事件を受任し、無事に勝訴判決（離婚と慰謝料300万円）を取得しました。

　Xさんの希望としては、「Yに裏切られたという気持ちが大きく、なんとしても慰謝料は満額取りたい」とのことでしたが、「Yは、不貞発覚、その後の別居により、仕事も辞めて親元に戻ってしまい、現在の勤務先は不明であり、不動産等も所有していない」とのことでした。ただ、「Yが結婚後に使っていた銀行口座は分かる」という話でした。

　甲弁護士は、判明している銀行口座への預金差押えをすぐに行うべきかと考えましたが、他に隠し口座があるかもしれず、財産調査を事前にやっておかないと、回収意図がバレてしまうと思い直し、預貯金債権に対する第三者からの情報取得手続を申し立てました。その際、申立書の当事者目録にYの旧姓AとYがXと結婚後の住所と引っ越し前の旧住所の記載はしましたが、旧姓A時代の旧住所の記載はしませんでした。

　申立後、金融機関から続々と回答書が送付されてきましたが、該当なしか、数千円程度の少額預金のみでした。

　甲弁護士は、Xさんにこの結果と、預金差押えをしても費用倒れになることを説明したところ、Xさんから「Yの独身時代（旧姓A時代）の住所で調査しましたか？」と質問されました。甲弁護士がやっていないと回答すると、Xさんから、「その住所で預金があったらどう責任とるのですか？」と詰め寄られてしまい、甲弁護士としては困惑するしかありませんでした。

1 失敗の原因

　預金口座の特定は、氏名、ふりがな、生年月日及び住所等で行うことについて理解が不十分であり、Yの旧姓A時代の住所を調査しなかったことが失敗の原因です。

　ただ、この失敗事例は、通常は失敗と分からない形の失敗ですね。情報取得の対象としていない以上、当該口座に高額の預金があっても認識できませんし、その他、高額預金の存在を知る手がかりがほぼないのですから、「何もなかったですね。残念。」で終わりになるのが通例です。

　とはいえ、可能性のあるところは網羅的に調査対象とすべきであり、そこに漏れがあったこと自体は失敗といって過言ではありません。

2 債務者財産状況調査手続の選定

① 財産開示手続

　財産開示手続（民執法196条以下）は、包括的に債務者に財産の開示を求める制度で、債務者を裁判所に呼び出し、財産目録を提供させ、原則的に裁判官が質問するという制度です。

　情報提供主体は債務者ですので、債務者が出頭しなかったり、嘘をいえばそれまでの制度です。

　また、財産開示期日に先立ち、**実施決定を債務者に送達**しなければならないため（同法197条4項）、確実に**回収意図が債務者にバレ**ます。

　令和2年民執法改正により、罰則が強化され（刑事罰となりました。同法213条5号、6号）報道や当職が耳にした情報では警察も動くようになったとは聞いています。しかし、そこまで実効性が担保されているとはいえないと思います。

　ただ、改正法施行後、申立件数は、相当増加しているとのことです（平野哲朗『実践民事執行法民事保全法［第3版補訂版］』日本

評論社、2022年、333頁）。

　私見ですが、次に述べる第三者からの情報取得手続（以下「情報取得手続」といいます）のうち給与等情報と不動産情報に関しては、**財産開示手続の前置が要件**（同法205条2項、206条2項）とされているためと思います。

② 情報取得手続

　情報取得手続（民執法204条以下）は、a債務者が所有する不動産情報、b給与等情報、c預貯金・株式情報をそれぞれ第三者から情報提供させる制度です。

　情報提供主体は第三者ですので、中立性・透明性があり、その意味で財産開示手続より実効性に勝ります。

　上記のとおり、対象情報（a〜c）によって、要件や手続が微妙に異なってきます。

　そこの部分のみを表にすると以下のとおりです。

　bの給与等は、使える債権が限定されてます。aの不動産とbの給与等は、**財産開示前置である上、情報提供命令の債務者送達が先行します**。どうやっても債務者に回収意図がバレます。

■各情報取得手続の違い

	対象	請求債権	財産開示請求前置	債務者送達
a	不動産	全て	○	○
b	給与等	①養育費・婚費等 ②損害賠償請求権（生命・身体）	○	○
c	預貯金・株式	全て	×	×

③ 手続の選定

　仮に、請求債権がすべての手続を利用可能な、養育費等又は損害賠償請求（生命・身体）等であるとして、aの不動産とbの給与等の情報取得手続をやるためには財産開示手続の前置が必須であり、回収意図がバレます。

　一方、cの預貯金等は、財産開示の前置も債務者送達も不要です。**ステルス性を維持したまま、預金等差押えまで進めます。**

従って、預貯金・株式は存在しないと断定できる場合は別ですが、一般論としては、

預貯金等の情報取得手続の実行

↓

財産開示請求

↓

不動産（請求債権によっては給与等もあり。）

という流れがセオリーだと思います。

3　預貯金等情報取得手続の留意点等

①　実効性に関して

当職の経験ですが、令和2年の民事執行法改正後、令和6年9月時点で、18件ほど預貯金等情報取得手続をやりました。請求債権の性質とか、債務者の方の状況等による違いがあると思いますので、あまり一般化できませんが、大当たり（数百万円）1件、中当たり（数十万円）2件、小当たり（数万円）3件、努力賞（数千円以下）5件というスコアです。**事前に思っていたよりはヒットする**なという印象です。

もう少し分析しますと、数十万円以上の預金がヒットしたのは、事業を営んでいる債務者でした。債務者が事業者の場合は相応の金額が期待できる可能性があります。また、大企業等に勤務している債務者はいない中でのスコアですので、債務者が大企業等の勤務者の場合、もう少し良いスコアが期待できると思います。

基本的に費用があまりかからない手続ですので（印紙代1000円＋予納金：約5000円／第三者1名）、やる価値はあると思います。

②　手続の大まかな流れ

預貯金等情報取得手続の大まかな流れは次のとおりとなります。株式の場合も同じです。

ⅰ　まずは、申立てします。1件の申立てで、第三者（照会先）は何社でも構いません。予算が許す限り、10社でも100社でも可能です。

　　申立書の書式としては、東京地裁の書式（インフォメーション21。https://www.courts.go.jp/tokyo/saiban/minzi_section21/dai3shajyouhoushutoku/index.html）を使用する裁判所が多いです。

　　この際、後で説明しますが、**債務名義還付請求を併せて行ったほうが良い**です。

ⅱ　何事もなければ（あっても補正等を行えば）、保管金提出書が送付されてきますので、所要の予納金等を納付します。

　　予納金の金額については、郵券代込みであったりなかったり、裁判所によってまちまちなので事前に問い合わせ等して確認しておきます。アバウトですが、郵券代込みでも第三者（照会先）1社につき5000円程度と腹づもりしておけばOKです。

ⅲ　予納金を納付すると、1週間程度の間に情報提供命令が申立人と第三者（照会先）に送付されます。債務名義の還付請求を併せて行っておけば、**債務名義もこのとき返してもらえます。**

　　前後して、五月雨的に、第三者（照会先）から申立人に、回答として、情報提供書という書面が送付されてきます（民執規192条1項）。回答期限の目安は2週間程度、第三者から申立人への直送が原則的な実務運用です（第三者によっては裁判所を経由するところがあります）。

　　情報提供書には、預貯金の有無、「あり」の時は、その取扱店舗、口座の種別、口座番号及び額（民執規191条1項）が記載されてますので、これにより財産調査の目的を達成することができます。

　　情報提供書により大口預貯金がヒットした場合、直ちに差すべきです（発見・即差押え）。そのためには債務名義が手元にある必要があるので（預貯金が判明した段階で債務名義還付請求を行うと若干時間を要する）、申立時に債務名義の還付請求もしてお

いた方が良いという訳です。

　ほどほどの預貯金が判明した場合はどうするかは悩ましいところです。全ての回答が出揃ってから、一括して差押えするのが楽ですが、その間に預貯金が流失するリスクはあります（増加している可能性もあります）。

　結局のところ、判明した預貯金の多寡に応じて判断することになるかと思います。なお、たまたまかもしれませんが、当職の経験では、差押え時に預貯金が減っているケースばかりでした。

iv　申立人に最後の回答（情報提供書）が送付されると、その1ヶ月後に情報提供がされた旨を債務者に通知（民執法208条2項）するのが一般的な実務運用です。

　ですので、遅くとも最終回答から1ヶ月以内に、情報取得手続により判明した預金に差押えをしておかないと、債務者が預金の払戻しなどをしてしまって、差押えが空振りになる可能性があります。早めを心がけた方が良いです。

　情報提供がされた旨の通知は、実務上、情報提供命令を債務者に送付することで行われるのがほとんどです。この場合、条文上は告知（普通郵便等）で良いはずですが、送達する裁判所もありました。すると、債務者に送達できなかった場合、現地調査等して付郵便送達申請なり公示送達の申立てなりをする必要が出てきます。

③　**債務者の特定に資する事項**

　情報取得手続の申立書には、債務者の特定に資する事項を記載する必要があります（民執規187条2項）。条文上、例示されているのは、氏名等のふりがな、生年月日、性別です。その他事項として、預貯金の場合、前記東京地裁書式に記載欄があるとおり、**旧姓及び旧住所**となります。

　情報取得手続により情報提供を命じられた金融機関は、氏名、生年月日、現住所等により名寄せすることとなりますが、姓が異なっていたり、同姓、同生年月日であっても届出住所が異なる場合、手

続における債務者と当該預金の名義人が同一人物が確定することができないことから当該預金について回答されず、取りこぼす可能性があります。

このような取りこぼしを防ぐため、可能な限り債務者の旧姓や旧住所を調べて、申立書に記載する必要があります。

情報取得手続申立時には、債務者の住民票を添付します。そこには前住所の記載があるので、最低限それは記載します。さらに、債務者の年齢等（成人に達した年）を考えて、戸籍附票で前住所を追っかけて、旧住所として記載します。

④　第三者（照会先）の選定

情報取得手続により、金融機関（証券会社）は、全店照会に応じてくれますが、その**対象となる金融機関（証券会社）自体は、申立人（債権者）の方で選択する必要があります。**

要は、債務者が預貯金（株式）取引をしていそうな金融機関をピックアップするということですが、これが貯金等（株式）情報取得手続で一番の難所だと思います。

考え方としては、以下のA、Bがあります。前記した当職の経験は、全てBの方法に依っています。そのスコアも前記したとおりです。

A　まず、請求債権の発生原因や依頼者（債権者）が有している情報、公開情報からノミネートする方法があります。具体的には、給料振込口座や各種代金、料金等の送金口座、Webサイト記載の取引銀行、許認可業を営んでいる場合は当該許認可申請書等の閲覧により判明した取引銀行、その他の状況からある程度取引金融機関が分かっている、あるいは推測できる場合はその金融機関となります。

B　次に、債務者の生活圏をベースに、金融機関の種別に応じて、いくつか抽出していくという考え方です。取引金融機関について全く目処がない、あるいはAの補足として、地域の実情（都市部か地方か、店舗数が多い金融機関はどこか）、債務者の属性（個

人か個人事業者か法人か）等でウエイトを加味しつつ、以下のa
〜eのグループからそれぞれ1行〜数行をチョイスして、総数と
して10行程度を選定します。予算的に許容できるならもっと増や
しても良いと思います。

a　ゆうちょ銀行

b　メガバンク（都市銀行）

c　住所地・勤務先の地銀・第二地銀

d　住所地・勤務先の信用金庫・信用組合・労金・JAバンク

e　ネット銀行（個人で年齢層が若い場合）

こうすればよかった

　甲弁護士は、Yの旧姓は申立書に記載してます。つまり、婚姻によ
り改姓したことを認識できているのですから、手間を惜しまず、旧姓
Aでの戸籍附票を取り寄せれば良かったのです。

　なお、仮に失敗事例で、最終回答から1ヶ月が経過しておらず、債
務者への通知までに若干の時間的余裕がある場合、旧姓Aでの旧住所
地を特定に資する事項とした上で、もう1回情報取得手続の申立てを
行うというリカバリー方法は考えられます。

✷　これがゴールデンルールだ！

債務者の特定に資する事項は、もれなく記載する。

**旧住所は、戸籍附票で追っかける。改姓があっても旧姓の戸籍
附票で追っかける。**

⑳ 株式は債権執行？

〈特殊な財産権の強制執行〉・・・・・・・・・・・・・・・・・・・▶

失敗事例 ちょっとの手間をおしんだため

　甲弁護士は、XさんからYに対する強制執行事件を受任しました。

　Xさん曰く、Yは、上場企業A社の株式を保有していて、これを差し押さえれば全額回収できるとのことでした。

　株式に対する強制執行をやったことがなかった甲弁護士は、六法を紐解き、民事執行法の条文を確認したところ、167条で、その他財産権は債権執行の例によると規定されているのを見つけました。

　そうかそうか、と早合点した甲弁護士は、A社を第三債務者とする形で債権執行の申立書を起案し、申立てをしました。

　申立てから間もなく執行裁判所から甲弁護士に連絡があり、「この書式内容では、受け付けられないので、訂正申立書で正規の形に修正してください」と言われてしまいました。

　甲弁護士が慌てて書式集を調べると、振替社債等執行という手続によらなければならないこと、そのためには、Yが株式の取引をしている証券会社を把握しなければならないことが分かりました。

　証券会社までは把握できていなかったので、甲弁護士は、申立てを取下げざるを得なくなりました。

解説

1　失敗の原因

　申立ての前に書式集を見れば分かりそうなものですが……上場株式に対する強制執行は、**振替社債等執行**という手続によることになりま

すので、単に債権執行の書式を使ってはダメです。

　書式集を調べるというちょっとした手間を惜しんだことが最大の失敗ですが、民事執行法という法律の条文だけしか確認しなかったことも失敗の一つです。**執行・保全では、民事執行規則や民事保全規則（いずれも最高裁判所規則）で、重要なことがさらりと規定されてます**ので、規則までしっかり調べておくことが重要です。これらの規則は六法だと全文が掲載されていないことが多いです。また、最高裁判所規則なので、インターネットのe－Govでもヒットしません。裁判所ホームページ（http://www.courts.go.jp/）の「統計・資料」→「規則集」で検索するのが一番早くて確実だと思います。

　ちなみに、振替社債等に関する強制執行は、民事執行規則第二章第八款、150条の2以下で規定されています。甲弁護士もここまで見ていれば、**民事執行法167条が規定する「特別の定め」**がこれだったと気がついたでしょう。

2　振替社債等に関する強制執行

①　簡単な制度の説明

　平成21年5月に社債、株式等の振替に関する法律が施行され、いわゆる株式のペーパレス化（電子化）が図られました。

　要は、証券会社の証券口座で管理する上場株式、社債、国債、地方債等の強制執行は、振替社債等執行の方法によるということです。

　その理由は、ペーパレス化されたことで、その対象となる上場株式や市場で取引される社債等については、株券や社債券という有体物は消滅したからです。よって動産執行はできません。

　株式も社債も本質的には債権ですから、債権執行でもよさそうですが、そうすると、証券口座（証券会社）が介在する場合に不都合が起きます。例えば、社債の場合の第三債務者は社債発行会社です。それに対して差押命令を発して債務者への弁済を禁止しても（民執法145条1項）、証券口座を管理する証券会社は、第三債務者ではないので、債務者から社債の譲渡等の指図があればこれによって社債

を第三者に譲渡してしまいますので、差押えの意味がなくなってしまうのです。

そこで、証券口座を管理する証券会社（これを振替社債等に関する強制執行では、**「振替機関等」**といいます（民執規150条の3第1項））に対して、証券口座の振替や抹消を禁止する特別の執行方法（同条）を創出する必要が出てきました。これが**振替社債等執行**になります。

② **手続とメリット・デメリット**

申立書の書式自体は、定型書式がありますので、それにそって書けばよく、手続自体は債権執行とほぼ同じなので、それほど難しいことはありません。

デメリットは、**債務者と取引のある証券会社が、執行手続における振替機関等になります**ので、個別銘柄（例えば、上場企業A社の株式）が分かっていても、証券口座（証券会社）まで把握できていなければ差押えできないという点です。

逆に、**証券口座が判明していれば**、預金差押えのように、**支店の特定等は不要です**ので、**証券口座にある財産（株式、社債、国債等）を包括的に差し押さえられる**というメリットがあります。

③ **その他留意点**

振替社債等執行の場合、株価等の変動がありますので、差押えの限度額（差押債権額に相当）は、請求債権額の1.5倍まで認められます（『金融法務事情』（金融財政事情研究会）1890号40頁）。

3　自動車執行

① **簡単な制度の説明**

自動車は基本的に動産ですから、動産執行によることになりますが、いわゆる車検証のある自動車、正確には**自動車登録原簿への登録が必要な自動車（登録自動車）の場合、この登録が第三者対抗要件**になっていますので（道路運送車両法5条）、登録原簿に差押えの旨を登録しなければ第三者に対抗できなくなります。その意味で、

動産執行としての側面のほか、**差押えの登録**というワンクッションが必要になりますので、道路運送車両法97条2項に基づき、民事執行規則第二章第四款、86条以下で、**自動車執行**という特別の執行方法が定められています。

② **使いどころ**

依頼者からは「あいつは車を持ってるからこれを差押えしたらどうですか？」などとアドバイス（？）されることがあります。

しかし、自動車執行をするにしても、実はディーラー等の所有権留保が付いていたということも多く、また、債務者所有であっても自動車の引き揚げ費用や保管費用に結構お金がかかります。一方で、中古自動車の卸売価格は低く、費用倒れになることが多いといえます。以上から、自動車執行は、執行費用を大きく上回るような高級車の場合以外は、あまり使えないと思います。

こうすればよかった

書式集をしっかり調べていけばよかっただけのことですが、そうでなくとも、せっかく民事執行法の条文にあたったのですから、規則まで調べておくべきでした。そうすれば、甲弁護士も振替社債等執行という特別の定めに気がついたはずです。

さて、今後のリカバリー（？）方法ですが、証券口座が分からなければどうにも始まりませんが、民事執行法の第三者からの情報提供制度（207条1項2号）を利用して（**第3章19**（128頁））、これを突き止めるという手段が考えられます。

✴ これがゴールデンルールだ！

民事執行規則には重要なことがさらりと規定されていることもある。

規則もきちんと調べる。

㉑ 自ら動かなければ取れないよ
〈債権差押えの換価方法〉 ‥‥‥‥‥‥‥‥‥‥‥‥‥ ▶

失敗事例 なまけてはダメ

甲弁護士は、Yに対する貸金500万円の債権回収事件を受任しました。

Yは、A銀行に対し、500万円の預金債権を有していたので、甲弁護士は、Yに対する債務名義を取得の上、A銀行を第三債務者とする債権差押命令を申立てし、無事に差押命令が発令されました。

A銀行からは、「差押えに係る債権あり、弁済の意思あり」との陳述書が返送され、首尾よく差さりました。

甲弁護士は、後は配当を待つのみと思い、別の事件処理に邁進していましたが、待てど暮らせど執行裁判所から配当期日の通知が届きません。そうしたところ、ようやく配当期日通知が届き、配当がなされました。甲弁護士は、500万円の配当があると思っていたところ、なんとその10分の1の50万円しか配当されませんでした。配当表を見てみると、甲弁護士が差し押さえてからずいぶん経った頃に、他の債権者Bからも請求債権額4500万円の債権差押えがなされ、被差押債権500万円を債権額で按分（4500万円：500万円）した結果、甲弁護士サイドの取り分は、50万円となってしまったことが分かりました。

「全額取れるはずだったのに……」

甲弁護士は残念がりました。

解説

1 失敗の原因
甲弁護士は、残念がっている場合ではなくて、これは弁護過誤にな

ります。**取立権**が発生した時点でＡ銀行から取立てを行っていれば満額回収できたからです。そしてその直接的な原因は、差押命令が発令されれば、後は執行裁判所が配当してくれると勘違いした点にあります。

　債権執行は、債権者が主体的に動かないと、基本的に回収できない手続です。

　本件事例では、ずいぶんと時間が経ってから配当手続が行われていますが、これは**債権差押えが競合したため、第三債務者Ａが義務供託した**からにすぎません。

　差押えが競合する時間的余裕を与えている時点で、甲弁護士は「詰んで」しまいました。

2　債権執行の換価方法まとめ

　債権執行の手続は、ちょっと複雑です。

① 転付命令等を付けるか

　まず、**債権差押命令単体で進めるか、オプション（転付命令・譲渡命令・売却命令・管理命令）を付けるか**が一つの分岐点です。オプションを付ける場合、これらの手続で換価されることとなります。

② 第三債務者が供託したか

　債権差押命令単体で進める場合、第三債務者の対応によって、換価方法が分岐します。

　第三債務者が執行供託をした場合は、執行裁判所による配当手続に進みますので、この場合は、債権者としては基本的に何もする必要はなくなります。

　第三債務者が供託しない場合、債権者は、取立権を行使して、直接取立てをするか、取立訴訟をして被差押債権を換価（回収）することとなります。なお、オプションの転付命令等は、債権差押命令と同時に申し立てる必要はないので、この時点で転付命令等を得て換価することもできます。

　図示すると次のとおりです。

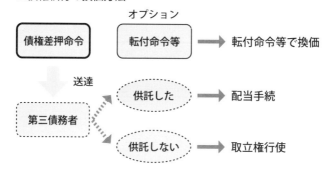

■債権執行の換価方法

3　執行供託

① **債権執行の流れ**

　債権差押命令（事件番号は（ル）第〇号。物上代位の場合は（ナ）第〇号）が発令されると、当該命令正本がまず第三債務者に送達され、送達されたときに効力が発生します（民執法145条 3 項、5 項)。**陳述催告の申立て**がある場合は（必ず申立てしましょう）、一緒に陳述書を送ります（同法147条 1 項）。

　第三債務者への送達が完了すると、債務者に差押命令正本を送達します。第三債務者への発送の 1 週間後に発送する例が多いです。

　債務者への送達も完了すると、執行裁判所は債権者に**送達報告書**を送付します。

　また、第三債務者からは、陳述書が返送されてきます。これによって被差押債権の存否や弁済の意思（「なし。供託するため」と書かれることもあります）、次に述べる、差押えの競合の有無が判明します。

　一応、これで（ル）あるいは（ナ）号事件は、一段落です。

② **第三債務者の対応**

ⅰ　権利供託

　自らの債務を差押えられた第三債務者には二つの選択肢があります。

一つは、何もしないで紛争に巻き込まれた（？）ままにしておくこと。

　もう一つは、執行供託（民執法156条1項）をして、煩わしさから解放されることです。**この場合の供託は、条文上「できる。」で**あり、供託するもしないも第三債務者の勝手です。そこで、この場合の執行供託のことを**権利供託**といっています。

ⅱ　義務供託

　上記は、単発の差押えを食らった場合ですが、権利供託をしないでおいたところ、別の仮差押えあるいは差押えを食らう場合があります。**差押えの競合**の場合です。

　差押えが競合した場合、第三債務者にその優劣等を判断させ、公平に債権者に弁済させることは酷です。

　そこでこの場合も、第三債務者は、執行供託できるのですが（同条2項）、**条文上は「しなければならない。」**であり、供託は義務です。必ず供託しなければなりません。そこで、この場合の執行供託のことを**義務供託**といっています。

　本件事例では、甲弁護士により差押えの後、Bによる差押えが入り、競合したため、A銀行は義務供託を行ったものです。

ⅲ　供託命令

　レアな手続ですが、債権差押命令が供託命令付きで発令された場合も、第三債務者は供託する義務を負います（民執法161条の2）。

　供託命令とは、当事者間秘匿制度（民訴法133条以下）に対応して新設された制度です（令和5年2月20日施行）。そのココロは、秘匿決定（民執法161条の2第1項1号）で債権差押命令における債権者名等を秘匿した上で、第三債務者から直接取り立てをすると、第三債務者には、取立権を行使しているのが債権者であるかどうかの判断が難しく（もちろん、自己責任で応じることは禁止されません）、取り立てを拒まれるケースも想定されることから、第三債務者に供託を命じる形でこの点をクリアしようとするものです（所要の供託法の改正もなされています）。債権者は、供託金の還付請求

を受ける形で債権の満足を得ることができます。

4 取立権

① 取立権の発生

差押えが競合していない場合、**債権差押命令が債務者に送達されてから1週間が経過しますと、債権者には取立権が発生**し、第三債務者から被差押債権を直接取立てをすることができます（民執法155条）。

執行裁判所が債権者に送達報告書を送付するのは、この取立権の発生の有無、時期を知らしめるためです。

もし、第三債務者が取立権行使による支払請求に応じない場合は、債権者は、第三債務者を被告として取立訴訟を提起することができます（同法157条）。

② 取立権の効力

取立権の行使として、被差押債権の取立てのために必要な裁判上、裁判外の行為を行うことができます。担保権の実行、保証人に対する請求、形成権（解除権、取消権等）の行使等です。

判例は、「その取立権の内容として、**差押債権者は、自己の名で被差押債権の取立てに必要な範囲で債務者の一身専属的権利に属するものを除く一切の権利を行使することができる**ものと解される。」と判示しています（最判平11.9.9民集53巻7号1173頁）。

具体的には、生命保険の解約返戻金につき解約権を行使すること（同最判）、MMFの解約権を行使すること（最判平18.12.14民集60巻10号3914頁）等が認められています。

結構強い効力があります。

③ 取立権の行使方法

取立権の行使方法については、法令に特段の規定がありません。ですので、当職が行っている方法を紹介します。

基本的に、自らが差押債権者であることと取立権が発生したことを証明するため、差押命令正本と送達報告書のコピーと、取立権を

行使するので支払を求める旨と送金先口座を記載した請求書を、第三債務者に送る方法をとっています。

これで支払を拒まれた経験は今のところありませんが、第三債務者が金融機関の場合、各社ごとに所定の手続があるようですので、それに従って手続を進めています。

④　取立届等

取立権行使は、執行裁判所の関知しない手続です。したがって取立てが終わってもそのままでは債権執行事件は係属したままになります。

そこで、債権者が第三債務者から取り立てた場合、取立てが完了したときは取立完了届を、被差押債権が賃料等の継続給付債権で取立てが継続するときは、取立届を執行裁判所に提出します（民執法155条4項、民執規137条）。

取立完了届を提出することにより債権執行事件（（ル）あるいは（ナ）号事件）は、終了します。

⑤　実務上の利用

取立権行使は、簡便で効力も強いため、実務上は、取立権行使により換価することが多いと思います。

5　配当等手続

①　配当等事件の開始

権利供託あるいは義務供託等の執行供託がされた場合、執行裁判所は供託がなされたかどうか分かりませんので、**第三債務者は、執行裁判所に事情届を提出**します（民執法156条4項、民執規138条）。

これにより配当等事件（事件番号は（リ）第○号）が開始されます。

配当等事件と書いたのは、厳密には**配当事件と弁済金交付事件**があるからです。

配当事件とは、配当を受けるべき債権者が複数いて、配当財団（供託金）だけでは執行費用と各債権者の全部を弁済することができず、

債権者間で分けなければならない事件です（同法84条１項）。

　弁済金交付事件とは、債権者が一人だけの場合あるいは複数いるが全部の弁済をすることができ、債権者間での分配をする必要のない事件です（同条２項）。

② **配当加入遮断効（配当要求の終期）**

　執行供託がされると、その後に差押え、仮差押えあるいは配当要求をした債権者（民執法154条）は、配当等を受けることができなくなります（同法165条１号）。逆にいえば、差押債権者以外の債権者が配当等手続で配当等を受けるためには、執行供託の時までに差押え等（第三債務者への送達まで）をしなければならないということです。これを配当加入遮断効といいます（**第２章17**(114頁)参照）。

③ **配当期日の呼出し**

　配当加入遮断効により、配当を受けるべき債権者の範囲が確定します。

　執行裁判所は、配当手続か弁済金交付手続かを見極め、配当期日あるいは弁済金交付期日を決めます。配当手続の場合は、各債権者に対し、配当期日の呼出状および計算書提出の催告書を送付します（民執法166条２項、85条３項）。

④ **配当期日**

　債権者は、配当期日に出頭する義務はありません。ただし、配当に異議がある場合、配当期日で配当異議を申し出ないとその効果が発生しませんから（民執法166条２項、89条、90条）、配当に異議がある場合は必ず期日に出頭し、配当異議を申出する必要があります。

　配当は、配当表に基づいて実施されますが（同法166条２項、85条）、配当表（の原案）は、事前に債権者に通知されません。ですので、**配当期日の前に執行裁判所に配当表の原案の照会**（裁判所によって運用が違います）を行っておくことが不可欠です。

⑤ **現実的換価**

　配当期日あるいは弁済金交付期日が終わっても、執行裁判所が債権者に送金してくれる訳ではなく、**債権者が執行供託がなされてい**

る法務局に対し、供託金払渡請求をすることによって、現金化します。

　具体的には、配当期日等が終わると執行裁判所は、法務局に債権者に対する支払委託書を送付し、債権者にはその証明書を送付します。債権者は、この証明書を添付して供託金の払渡しを受けることができ、現金化できます。

6　転付命令等

① 　**転付命令**（民執法159条）

　端的にいえば、**被差押債権による代物弁済**です。詳しくは、**第3章22**（148頁）で説明します。

② 　**譲渡命令等**（同法161条）

　被差押債権が取立て困難なとき（条件・期限付き、反対給付が必要等）、執行裁判所が定めた価額で支払に代えて債権者に譲渡するのが譲渡命令、執行官に被差押債権を売却させてしまうのが売却命令、管理人に被差押債権の管理をさせるのが管理命令です。例外的な手続です。

こうすればよかった

　Ａ銀行からの陳述書により、被差押債権の存在と弁済意思が確認できたのであれば、取立権を行使してさっさとＡ銀行から取り立てるか、転付命令で自己の債権にしてしまえばよかった。それにつきます。

💥　これがゴールデンルールだ！

債権執行は、自ら動かなければ取れない。陳述書に債権競合の旨や供託する旨の記載がない場合は、取立権が発生したらすぐにこれを行使して第三債務者から取り立てる。

㉒ 権利がとんだ
〈転付命令のメリット・デメリット〉 ‥‥‥‥‥ ▶

失敗事例 破綻のリスクを忘れない

　甲弁護士は、Ｙに対する請求債権額100万円の強制執行事件を受任しました。

　甲弁護士が調査したところ、Ｙは、Ａ会社に対して300万円の売掛金を有していることが判明したので、甲弁護士は、Ａ会社を第三債務者として売掛金の債権差押命令の申立てと併せて転付命令の申立てを行い、無事に発令されました。

　債権差押命令と転付命令のいずれも確定したため、甲弁護士がＡ会社に売掛金の請求を行おうとした矢先に、Ａ会社は破産し、その後、異時廃止で終了してしまいました。このような次第で、結局Ａ会社からは１円も回収できませんでした。

　次で取り返そうと決意した甲弁護士は、さらにＹの資産調査を行ったところ、Ｙは、Ｂ会社に対する売掛金も有していることが判明しました。甲弁護士は、この売掛金に対して債権差押えを行うべく、前の執行裁判所から債務名義の還付を受けて、債権差押命令の申立てを行ったところ、現執行裁判所から、「被転付債権（Ａ会社に対する売掛金）が不存在であることの証明がないと発令できない」と言われてしまいました。

　甲弁護士は、破産事件の異時廃止証明書等を提出して不存在を主張したのですが、執行裁判所から「それは単に回収不能になっただけですよね。転付の効果は発生してますから、執行債権はもう存在しないと考えざるを得ませんよ」と言われてしまい、結局、申立てを取り下げました。

1 失敗の原因

　最近はあまり見かけなくなりましたが、ひと昔前は債権差押命令と転付命令を必ずワンセットで申立てする弁護士を結構見かけました。それはそれでよいのですが、**転付命令にはリスクがあります**。甲弁護士の失敗は、漫然と転付命令を得てしまったことです。

　第3章21（140頁）でも少し触れましたが、転付命令とは、**被差押債権による代物弁済**にほかなりません。そのため、**その効果が発生すると、執行債権は弁済により消滅**してしまいます。ですので、そもそもの執行債権に関する債務名義も執行力がなくなりますから単なる紙切れになってしまいます。こうなってはもう為す術はありません。

　権利がとんでしまいました。

2 転付命令の意義

① 概要

　転付命令とは、被差押債権（＝被転付債権）を差押（転付）債権者に帰属させ（債権譲渡）、その代わりに執行債権（および執行費用）は、弁済されたものとみなす制度です（民執法160条）。つまり、被差押債権による代物弁済であり、法定の債権譲渡ともいえます。

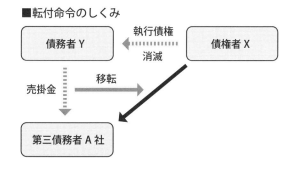

■転付命令のしくみ

② 特徴

i 差押競合の防止

転付命令の本質は、債権譲渡です。転付命令を受けた執行債権者は、以後、第三債務者に対する当該被転付債権の債権者となり、そのため、当該債権者として請求、訴訟提起、解除、取消等の一切の行為が可能となります。被転付債権に担保・保証等が付いている場合、随伴性により当然それらも行使できます。

一方、第三債務者は、元々の債権者（執行債務者）に対する一切の抗弁を転付債権者に対抗できることとなります。

このように債権が執行債権者に移転するので、転付命令が確定すれば、被差押債権は存在しないことになります。本件事例に即していえば、債務者Yの第三債務者A社に対する債権は存在しなくなります。そうすると、他の債権者がいても、もうYのA社に対する債権は差押えできません。存在しないのですから。

つまり、転付命令には、**差押えの競合を防止し、執行債権者が優先的弁済を受ける効果**があるといえ、これが**転付命令の最大のメリット**です。

ii 弁済効

逆に、転付命令は代物弁済としての側面も有しますから、執行債権は消滅します。被転付債権が破産等により回収不能となっても、執行債権が復活することはありません。

つまり、転付命令には、**第三債務者の破綻リスクを執行債権者に転嫁するという効果**もあるといえ、これが**転付命令の最大のデメリット**です。

権利がとんでしまうおそれがあるということです。当職はこれが怖いので、よほどのことがない限り転付命令は利用しません。

3 転付命令の要件

① 概説

転付命令の効果をより正確にいうと、被転付債権が存在する限り、

その**券面額**（一定金額）で、**差押債権者**に**債権移転**と執行債権の弁済の効果が発生します（民執法160条、159条）。

　したがって、要件として、

ⅰ　手続的要件として、有効な差押命令の存在

ⅱ　所与の前提として、被転付債権が譲渡可能（一身専属権や法令上の譲渡禁止ではないこと）なものであること

ⅲ　券面額の存在

ⅳ　優先的弁済効を与えることから、転付命令の第三債務者への送達以前に、差押え等の競合がないこと（同法159条3項）

が必要になります。

② **券面額**

　上記要件のうちのⅲの**券面額**について、もう少し説明します。

　転付命令には、執行債権の消滅効がありますから、**当事者間で事後紛争が起きないように弁済によりいくら消滅したのかを明確にしておく必要**があります。そこで、要件として、**券面額（一定の金額）**が必要とされます。

　このように、券面額とは、一定の額で表示される金銭債権の名目額であって、債権の実質的価額または現存額ではありません。つまり、本件事例のように破産により実質的価額が0円になったとしても、券面額としてはあくまで売掛金の名目額300万円です。

　以下のようなものが、券面額を欠く債権の典型例となります。

・　将来債権（将来の賃料、給料、退職金、診療報酬等）

・　明渡し前の敷金返還請求権

・　保険事故発生前の保険金請求権

　いずれも、現時点において、**金額が確定していません**ので、券面額が認められないことになります。もっとも、これら債権であっても差押え自体は認められますから、差し押さえた後に、弁済期が到来する都度、取立権を行使して、取立てをすれば回収はできます。

　どうしても今すぐ現金化したいという場合は、譲渡命令や売却命令（民執法161条、**第3章21参照**）を検討することになるでしょう。

4　転付命令の効力

① 概説

　以上のように、転付命令には、転付債権者への債権移転効と執行債権の消滅効があります（民執法160条）。転付命令の確定により、債権執行事件は終了することになります。

② 効力発生時期

　転付命令は、確定によって効力が発生しますが（同法159条5項）、その効力は、**第三債務者への送達の時に遡及します**（同法160条）。ですので、第三債務者への送達後に差押えが競合した場合でも、その後転付命令が確定すれば、競合した差押えは無視され、転付の効果が発生します。

③ 被転付債権の不存在（空振り）

　転付命令の確定により、執行債権は券面額で弁済され、消滅します。しかし、転付の効力は、**被転付債権が存する限りで**（同法160条）認められるにすぎませんので、**被転付債権が不存在であったり、事後に遡及的に消滅した場合は、転付の効力は発生しません**。空振りと呼ばれます。その場合は執行債権が消滅することもなく、引き続き執行債権者は、執行を求めることが可能です。

　被転付債権が不存在の場合としては、差押えした預金口座がそもそも存在しなかったり、残高が0円であった場合や、発令以前にすでに弁済により消滅していたような場合があります。

　事後的に遡及的に消滅する場合としては、相殺、取消し、解除等があります。例えば相殺の場合、その効果は相殺適状の時に遡及しますので（民法506条2項）、発令時点では、実体法上被転付債権が存在していなかったということになります。

　なお、本件事例のように、発令後に払えなくなってしまった、あるいは実体上も被転付債権が消滅してしまったという場合は、**発令時点で被転付債権が存在しなかった**という場合ではありませんので、代物弁済効により執行債権は消滅します。

④　被転付債権不存在の場合の再執行

　この場合は、執行債権で他の財産に対して強制執行することは、もちろん可能です。ただ、手続的には少々ややこしくなります。

　一つの方法は、転付命令で使用している債務名義の還付を受ける方法ですが、実務運用上、**当該債務名義に転付命令が発令された旨の奥書がなされます**。この債務名義を使用する場合、執行債権者は、執行債権が現存すること（＝被転付債権が不存在であること）を証明する必要があります。

　もう一つの方法は、執行文の再度付与（民執法28条、**第3章24**（158頁）参照）を受ける方法です。この場合も再度付与の理由として、被転付債権が不存在であることを証明する必要があります。

こうすればよかった

　本件事例では、転付命令を申し立てるべきではありませんでした。第三債務者の破綻リスクを債権者が負担するという転付命令のリスクを全く考慮せず、漫然と転付命令を得てしまったことが甲弁護士最大の失敗です。

　仮に、差押えが競合しそうな事情が存在するような場合は、優先弁済効を得るという転付命令のメリットが期待できますが、その場合でも破綻リスクとの兼ね合いを考える必要があります。

　ただ、**第三債務者が健全な銀行や国等であれば、破綻リスクは相対的に低い**と考えられますので、転付命令をとってもよいでしょう。

これがゴールデンルールだ！

　漫然と転付命令の申立てをしない。転付命令の申立てをするのは、破綻リスクが低い銀行・国等に限る。

㉓ 動産執行はバクチ

〈動産差押え〉 •••••••••••••••••••••••••••••••••••••• ▶

失敗事例 家まで行って収穫ゼロ

　甲弁護士は、Ｙに対する強制執行事件を受任しました。

　Ｙの預金口座は分かっていたので、それに債権差押えをしたところ、少額でしたが預金残高があり、請求債権の一部は回収できました。

　ただ、依頼者は、それだけでは全く納得いかないので、さらに回収してほしいとのことでした。甲弁護士もいろいろ調査しましたが、めぼしい資産は見当たらなかったため、Ｙの住居に対し、動産執行をすることにしました。

　動産執行の申立てを終え、いよいよ執行当日となり、甲弁護士も緊張しつつ現場に向かいました。Ｙの住居は、マンションの一室の404号室でしたが、執行官、執行補助者、施錠技術者と共に404号室に行くと、表札には「Ａ」の名前がありました。執行官が呼び鈴を鳴らすと、女性が出てきて、「私はＡで、Ｙなんて知らない」とのことでした。

　１階に管理人がいたので、Ｙを知らないかと尋ねると、405号室に出入りしているとのことでしたが、405号室の表札はＢでＹではありませんでした。

　執行官は、「404号室にＹの占有は認められないので、執行不能で終了します」と宣言し、結局、何の収穫もなく執行は終了しました。

　「判決も債権執行の差押命令も全部404号室に送達できていたのに……おかしい」。ＡもＢもＹの関係者に違いないと思いましたが、どうしようもできない甲弁護士でした。

1 失敗の原因

万策尽きてやけくそで動産執行、というと言葉が過ぎますが、債務者に全く資産が見つからず、でも依頼者としては納得がいかないというとき、最後に一縷の望みをかけられるのは動産執行です。公示送達になった事件でもない限り、少なくとも債務者の住所は分かっていることが多いですから、最低限そこに動産執行をかけるという選択肢はある訳です。

しかし、一般論ですが、だいたい上手くいきません。押さえるべき動産がほとんどないか、あっても価値は低いものがほとんどです。そのため、動産執行の効果は薄く、高価品があったら見つけものというバクチの要素が強いです。統計的には9割が執行不能で終了とのことです（前掲129頁・平野227頁）。

一方で、動産執行は、古い映画やドラマほど劇的なものではないですが、債務者の住居に強制的に立ち入り、家捜しするということですから、その**心理的ダメージは相当なもの**があります。嫌がらせ目的で動産執行を使用することもできますので、当職は動産執行はあまり好きではありません。本当に最後の手段として行っています。

2 動産執行の対象

動産は、不動産や債権のように、財産を一つ一つ特定することは困難です。仮に「現金」と特定したとして、実際に執行してみたら現金はなくて「金の延べ棒」が出てきたという場合、それを差し押さえられるのか？　という問題もあります。そこで、動産執行では目的物を特定する必要はなく、動産の所在する場所を特定すれば足りるとされています（民執規99条）。

動産執行は、場所に対する執行と考えることができます。

ここでいう動産とは、債務者が占有する動産ですから（民執法123条1項）、一義的には、**債務者の住居**が執行対象場所になるでしょう。

債務者の住居さえ分かれば資産調査等の必要がなく、ある程度包括的な差押えができるという点は、動産執行のメリットといえます。

このように場所に対する執行という性質がありますから、その場所が債務者の占有するものであるかどうか、債務者の占有が認められるかは極めて重要な要素になります。

3 執行対象とならない動産

① 概説

民事執行法131条は、**差押禁止動産**を規定していますが、実に多岐にわたります。その中でも重要なものは**1号と3号**です。

差し押さえることができる動産は極めて限定的です。動産執行が実効性が低い理由の一つです。

② 日常生活品

1号は、生活に欠くことができない日常生活品です。衣服、寝具、家具等が例示列挙されています。具体例としては、生活保護受給者が保有を認められる生活用品が参考になり、それは**普及率70%を超えるもの**とされています。そのため、テレビ、クーラー、冷蔵庫、洗濯機、携帯電話（スマホ）等、ほとんどの家財道具は差押禁止動産になります。古いドラマなどでは赤紙を家財道具にペタペタと貼っていくシーンがよくありましたが、全くのフィクションです。

③ 現金

3号は、標準世帯の2ヶ月間の必要生計費を勘案して政令で定める額の金銭と規定してます（法人は対象外）。政令（民執令1条）が定める金額は、**66万円**です（令和6年9月現在）。

個人の場合ですが66万円もの金額が差押えを禁止される訳です。動産執行してみたら50万円の現金があった！　としても差押えできません。

④ 差し押さえるべき動産の選択

このようにかなり幅広く差押禁止動産が認められていることに加えて、執行官は、差し押さえるべき動産の選択にあたっては、債権者の利益を害しない限り、債務者の利益を考慮しなければならない

とされています（民執規100条）。ですので、執行官は金になりそうなもののみを選択し、換価価値が低いものや市場性が乏しいものは差押えしない傾向にあります。

4 動産執行に実効性を期待できる場合

以上のとおり、家財道具の類いはほぼ差押えできず、仮にできても、その価値はたかが知れてますし、現金も66万円以上の部分のみ差し押さえることができるだけですので、個人宅を対象としても費用倒れ（予納金で3万5000円ほど、執行補助者や施錠技術者の費用で5〜10万円程度）になる可能性が高いです。

個人が債務者の場合は、貴金属類や高価な書画骨董があるような場合にのみ動産執行に実効性が期待できます。

その他、実効性が期待できるのは、現金商売をしているような小売（業者）店舗です。66万円以上の現金が存在する可能性があります（法人であれば全額いけます）。それと中小零細事業で、給料日の当日を狙う方法です。給料手渡しの場合、その原資となる現金が存在する可能性があるためです。当職の経験ですが、これで相当額の現金を差押えできたことがあります。

こうすればよかった

甲弁護士も万策尽きて動産執行したのでしょうから、そのこと自体は仕方ないですし、債務者の占有が認められなかったのも仕方がないといえます。強いていえばですが、動産執行の申立てを行う前に、債務者の住所地を現地調査して、債務者の占有が認められるかどうかを確認すべきではありました。

これがゴールデンルールだ！

動産執行はバクチ。実効性はあまり期待できない。やるときは費用倒れを覚悟して行うこと。

㉔ 判決正本は被告ごとに
〈被告複数時の執行文付与〉 ・・・・・・・・・・・・・・▶

失敗事例 債務名義を1通しか取得していない

　甲弁護士は、Xさんから、配偶者Yと不貞相手Zに対して、不貞行為を原因とする慰謝料請求訴訟事件を受任し、無事に勝訴判決（慰謝料につきYとZは連帯して300万円支払え。）を取得しました。

　Xさんによれば、「Yはへそくりをため込んでる。預金口座の目星はついてる」とのことでしたので、甲弁護士は、早速、送達された判決正本に執行文の付与を受け（送達証明書も取得し）、預貯金に対する第三者からの情報取得手続を行ったところ、Y名義の400万円の預金がヒットしました。甲弁護士は、「満額回収できる」と喜び、預金の差押えをしましたが、申立てまでに若干時間を要したこともあって、他の債権者の差押えと競合してしまい、満額回収のめどがなくなりました。

　そのような折の某月10日、YとZは、仲違いしたようで、Yから甲弁護士宛に「Zは、退職し、今月末に退職金が入る。それを取って、代わりに私の差押えは取り下げてくれ」との連絡がありました。

　退職金が支払われるまで後20日ほどしかないですが、速攻申立てすれば、退職金の支払いまでに差押えがなんとか間に合うと思い、甲弁護士は申立書の起案を始めました。が、ハタと、債務名義（判決正本）が手元にないことに気づきました。すぐに離婚事件の受訴裁判所に執行文の付与申立てをしましたが、すでに被告Zに対する執行文が付与されているので、判決正本の交付を受けた上で執行文の再度付与の申立てが必要といわれ、その手続に手間取り、退職金に対する差押命令が発令されたのは翌月になりました。当然、退職金は、すでにZに支払われており、第三債務者から「債権なし」との陳述書が返戻されただけでした。

1　失敗の原因

　判決が言い渡されると原告に判決正本が送達されますが（民訴法255条）、当該判決書の被告が何人いようが、原告に送達されるのは1通です。この頂いた1通につき漫然と執行文の付与を求めると、被告全員を執行文上の債務者とする1通の執行文しか付与されません。

　つまり、被告（執行債務者）は、複数いるのに執行力ある債務名義は1通のみという状況になってしまいます。これですと、一の被告（執行債務者）にのみ執行を行った場合、当該執行事件が終了し債務名義の還付を受けない限り、他の被告（執行債務者）に執行を掛ける場合は、当該被告に対して**執行文の再度付与**（民執法28条）を受ける必要が出てきます（**2章12**（86頁）参照）。そして、次項以下で説明するとおり、執行文の再度付与を受けるためには若干の手間と時間を要します。

　甲弁護士が苦境に陥ったのは、判決正本に執行文の付与を受ける際に被告ごとに執行文付与申立てを行わなかったためです。被告ごとに執行文付き債務名義を得ていれば、Yに対する差押えで債務名義（Yに対する執行文付き）を使用していても（失敗事例では債権競合が生じ、配当事件となるため配当手続が終わるまで債務名義は返ってきません）、もたもたと執行文の再度付与申立てに時間を掛けることなく、手元にあるZに対する執行文付き債務名義により、迅速に執行を掛けることが可能となります。

　逆にいえば、このような事態が発生することも想定し、**被告が複数いる場合は、必ず被告ごとに執行文の付与を受ける**ことを心がけていれば良かったのです。

2　被告が複数の場合の執行文の付与の受け方

　上記のとおり、被告複数でも、原告には、判決正本は1通しか送達されません。判決が1通しかないのに、どうやって複数の執行文の付

与を受ければいいのか？　といえば、そう難しい話でなく、執行文の付与申立てと一緒に**判決正本交付請求**（民訴法91条3項）をすればいいだけです。手数料として、1枚当たり150円が必要になります。

　判決正本の交付請求に関し、注意する点としては、訴訟終結からある程度時間が経過すると訴訟記録が担当部から倉庫に移されてしまうので、正本等交付請求してから正本等の交付を受けるまで若干時間（1週間程度）がかかるという点です。

　判決の言い渡しを受け、判決が確定したら、直ちに、被告の数に相当する判決正本を取得し、被告ごとに執行文の付与まで受けておくと良いと思います。

　また、執行文付与申立書には、必ず「**被告○○に対し、……**」と記載し、被告を特定するようにしてください。

3　執行文の再度付与等

　同時に、同一債務者（被告）に対して複数の執行文の付与を受ける場合を一般的に執行文の数通付与といい、一度執行文の付与を受けたものの、それがヤギに食べられた等で滅失したときや他の執行手続で使用中のときに、もう1通新たに執行文の付与を受ける場合を一般的に執行文の再度付与といいます。

　数通付与または再度付与が認められる要件は、滅失したとき又は**債権の完全な弁済を得るために必要なとき**です（民執法28条）。この要件については、債権者が証明する必要がありますが、あまり厳密なものではないようです。

　失敗事例に即していうと、甲弁護士は、まずY預金差押えの執行裁判所に「債務名義使用中証明書」の申請をして、この証明書を取得する必要があります。ここで一手間かかります。

　次に、慰謝料請求訴訟事件受訴裁判所の担当部に執行文の再度付与申立てと判決正本交付請求をする必要があります。この際、再度付与の要件を立証するため、上記証明書のほか完全な債権の満足を得られないこと＝現在実行している執行手続では完済とならないことを証明

することになるかと思います。失敗事例ではＹ預金差押えの差押命令と第三債務者からの陳述書で競合の事実＝完済とならないことの立証は比較的容易と思います。が、ここでまた一手間。

　もし、訴訟終結から時間が経過してからこれらの手続を行った場合は、上記のように判決正本の交付でさらに時間を要してしまうこととなります。

　さらに、数通付与・再度付与の場合には、その事実が**被告に通知されます**（民執規19条１項）。回収意図がバレるというリスクも抱えることになります。

こうすればよかった

　判決正本に執行文の付与を受けるに際して、被告の誰に対して執行文の付与を求めるのかを明確に意識し、かつ、執行文付与申立書に明記すべきでした。

　なお、失敗事例では事後的にＺの資産が判明したため以下の方法は論理的に使えませんが、被告が複数いて、被告に対する執行文付き債務名義が１通しかなくても、執行裁判所が同じで（被告らの住所を管轄する裁判所が同じ）、かつ、執行手続が同一の場合（債権差押え等）、１通の申立書で、Ｙ及びＺ両名に対する差押えが可能です。当該執行文付き債務名義も１通で足り、執行文の再度付与を受ける必要はありません。この場合、請求債権が連帯債務、かつ、各債務者に対し、請求債権全額で申立てする場合、請求債権全額を超える取り立てはできませんから、「総取立可能額を超える取立てをしない旨の申述書」を併せて提出します。

これがゴールデンルールだ！

被告が複数いる場合は、必ず被告ごとに執行文の付与を受ける。

仮処分、明渡執行事件等に
まつわる失敗

㉕ やっぱ仮処分でしょう

〈当事者恒定効〉 ●●●●●●●●●●●●●●●●●●●●●● ▶

失敗事例 まさかの執行不能

　Xさんは、その所有するマンションの一室をYに賃貸していましたが、賃料の支払が半年以上なかったため、賃貸借契約を解除して、明渡しを求めることとしました。

　甲弁護士は、Xさんから、この件に関する相談を受け、5月に建物明渡請求事件として受任しました。

　甲弁護士は、善は急げと物件の下見をすることもなく、直ちに建物明渡請求訴訟を提起したところ、第1回口頭弁論期日は答弁書擬制陳述で終わり、2回目以降、被告は出頭したものの、「金がないので明渡しに猶予がほしい」と言うのみだったので、9月に3回目で結審し、10月には判決が確定しました。

　この債務名義を使って、建物明渡の強制執行の申立てを行い、11月に甲弁護士が執行官と共に明渡しの催告に赴いたところ、Yの姿はなく、Zという片言の日本語を話す外国人が住んでおり、要約すると「Yという人物からこの部屋を月1万円で使ってよいといわれたので3ヶ月前から住んでいる」と話し、YとZ間の8月付けの契約書を持ち出しました。部屋には、Yが占有していることをうかがわせるような痕跡はなく、執行官は、Yの占有があると認定できず、執行不能となってしまいました。

　甲弁護士がおそるおそるXさんに顛末を報告すると、Xさんは、たいそう立腹し、「なんとかしてください。最後まで責任もってやってください。追加でお金は払いませんからね」と厳しく叱責されてしまいました。

1　失敗の原因

　明渡事件をやるとき、仮処分を打っておいた方がよいのかどうか、よく悩みます。というのも、あくまで当職の経験の範囲内ですが、訴訟提起後に占有を移転されたということは皆無で（修習生の時に1回だけ見たことがあります）、仮処分なしでやっても大勢に影響がないことがほとんどであるにもかかわらず、仮処分をすると結構なお金がかかってしまうからです。仮処分に依頼者が難色を示すことも多いです。

　甲弁護士の失敗は、いうまでもなく、占有移転禁止仮処分を事前に打っておかなかったことです。こういうケースもあり得ますので、仮処分はやはりやっておくべきであったといえます。

　今後の甲弁護士のリカバリー方法ですが、まず、現時点の占有者Zを債務者として、占有移転禁止仮処分を打った上で、Zを被告としてもう1回、明渡訴訟を提起してその債務名義で強制執行するしかありません。

　逆にいえば、このような**費用と労力の無駄を避けるために仮処分の存在価値がある**ということです。

2　当事者恒定効

①　係争物仮処分の目的

　仮差押えの目的は何かといえば、金の回収のためです。強制執行するまでに資産を処分されたり、隠匿されたら意味がないわけで、事前にこれらを防止するためのものです。金のためのものですから、被保全債権となるのは、金銭債権に限られます。

　一方、係争物仮処分は、**金銭債権以外の権利の実現**のためのものです。あくまで比喩的にいえば、物・登記の回収のためのものです。明渡しの強制執行をしたところ、被告以外の別人が住んでいたらそれ以上強制執行手続を進めることはできませんので、事前にこれを

防止するためのものです。

これを**当事者恒定効**といいます。

仮処分には当事者恒定効があるとよくいいますが、今ひとつピンと来ないかもしれません。ものすごく分かりやすくいうと、**口頭弁論終結時（基準時）を仮処分執行時に前倒しする効力**といえます。

■当事者恒定効

② 確定判決の効力

詳述すると、確定判決の効力は、被告本人のほか、口頭弁論終結後の被告の承継人にも及びます（民訴法115条1項3号）。判決の執行力も同様です（民執法23条1項3号）。なので、口頭弁論終結**後**に、第三者に占有が移転がなされても、第三者が被告の承継人であれば、この判決は、使えます。生きています。手続的には、**承継の事実を証明し、承継執行文の付与**（同法27条2項）を受けて第三者に対して強制執行することができます。

ですが、口頭弁論終結**前**に占有が第三者に移転されてしまうと、判決の効力、執行力は、第三者には及びません。判決は使えません。死んでいます。

■確定判決の効力が及ぶ第三者

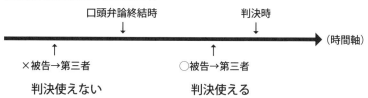

③ 当事者恒定効

では、事前に占有移転禁止仮処分を打っておくとどうなるかとい

うと、仮処分の執行がされたときは、被告に対する判決で、

i 単純占有者（仮処分の執行につき悪意）

ii 被告の占有承継人（善意悪意問わず）

に対し、明渡しの強制執行をすることができることになり（民保法62条1項）、さらに嬉しいことに**仮処分執行後は、占有者の仮処分についての悪意が推定されます**（同条2項）。

　被告が占有を失っていても、それを無視して引き続き被告に対する訴訟を継続でき（最判昭46.1.21民集25巻1号25頁）、その判決の効力は、仮処分執行後の上記占有者に及ぶというわけです。

　つまり、口頭弁論終結時（基準時）が仮処分執行時に前倒しされる訳です。

■仮処分を行った場合の確定判決の効力

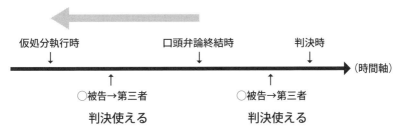

3　係争物仮処分の類型

① 3つの類型

　仮処分については、係争物仮処分（民保法23条1項）と仮地位仮処分（同条2項）の2種類あることは、**第1章2**（20頁）でお話ししたとおりです。

　係争物仮処分については、被保全権利と当事者恒定の方法によって、いくつかの類型に分けることができます。

　実務上よく目にする類型としては、大きく次の3つがあります。

i 占有移転禁止仮処分

ii 登記請求権保全のための処分禁止の仮処分

iii 建物収去土地明渡請求権保全のための処分禁止の仮処分

■争訟物仮処分の類型

被保全権利	保全執行の方法	根拠条文
物の明渡し、引渡請求権	執行官による公示（＊）	民保法62条、民保規44条
登記請求権	処分禁止の登記（保全仮登記併用の場合もあり）	民保法53条1項、2項
建物収去土地明渡請求権	処分禁止の登記	民保法55条

＊　債務者使用型の場合

②　占有移転禁止仮処分

　上記①ⅰの**占有移転禁止仮処分**ですが、これは本件事例のように建物明渡請求権や物の引渡請求権の保全のためのものです。本執行にあたっては、誰の占有を解くのかが重要ですので、占有者を「固定（恒定）」する必要があり、端的には、執行官による保管（占有）と公示（民保規44条）という方法でこれを行います。

　話が込み入ってきますが、占有移転禁止仮処分は、現実の占有をどうするか？　仮処分執行後に誰に実際に占有させるか？　という観点によって、以下の3つの類型に分かれます。

　　ア　債務者使用型

　　イ　執行官保管型

　　ウ　債権者使用型

　占有移転禁止仮処分の観念的な保全執行としては、債務者から占有を取り上げ（排除し）、執行官に占有を移すことにありますが、上記アは、執行官に占有を（観念的に）移した上で、債務者にそのまま使用することを認めるタイプ、つまり現状には何の変更も及ぼさないタイプです。これを**債務者使用型**といい、**占有移転禁止仮処分の原則形**です。通常、占有移転禁止仮処分といえば、このタイプのことを指します。目に見える保全執行としては、執行官による公示のみになります（上記表の＊）。

　イの執行官保管型は、実際に債務者の占有を取り上げ（排除し）、執行官が実際に保管してしまうタイプです。ウの債権者使用型は、

その上で、さらに債権者が使用することも認めてしまうタイプです。

ウの債権者使用型は、実質的には債権者が明渡し・引渡しを受けたに等しく、**満足的仮処分**ですし、イの執行官保管型も債務者を追い出してしまうものですから、**断行仮処分**の性質を有します。その意味で、仮地位仮処分と近い性質を有してきますので、必要的審尋事件（民保法23条4項）ではありませんが、**原則的に債務者審尋を行います。また、債務者への打撃が極めて大きいですから、保全の必要性のハードルはとても高いです。**当職の経験では、暴力団事務所の明渡事件で、執行官保管型を認めてもらえたことがあります。当然、担保も賃料の1年分等となり、極めて高額になります（**第1章5**（40頁）参照。）

③　登記請求権保全のための処分禁止の仮処分

上記①ⅱの**登記請求権保全のための処分禁止の仮処分**ですが、例えば、抵当権抹消登記請求事件や所有権移転登記請求事件のように、登記請求権を保全する場合に使います。

登記請求の場合、本執行にあたるものとして、債務名義を使って所要の登記を行うこととなります（民執法177条、不登法63条1項）。**このとき、債務名義の被告と登記名義人（登記義務者）が異なっているともう登記できません**（不登法25条7号）。登記名義人を「固定」する必要があり、処分禁止の登記を入れる（当該物件に登記する。民保法53条1項）という方法でこれを行います（**第4章27**（180頁）参照）。

抵当権設定登記請求のように、ゼロから新たに登記をする必要がある場合には、処分禁止の登記と併せて仮処分による仮登記（保全仮登記）を入れる方法によります（同条2項）。

④　建物収去土地明渡請求権保全のための処分禁止の仮処分

最後の上記①ⅲの**建物収去土地明渡請求権保全のための処分禁止の仮処分**は、その名前のとおり、建物収去土地明渡請求権の保全のためのものです。

この場合の本執行（建物の取り壊し）の相手方は、建物を所有し

て土地を占有している建物所有権者となりますので、債務名義の被告と建物登記名義人が、本執行時に異なっていると本執行ができません。より正確には、授権決定（民執法171条）が下りません（**第4章29**（192頁）参照）。登記請求権の場合と同様に、登記名義人を「固定」する必要があり、処分禁止の登記を入れる（当該物件に登記する。民保法55条１項）という方法でこれを行います。

⑤　その他

　これら３類型の典型のほか、当職が経験したものとしては、詐害行為取消権に基づく仮処分がありました。ただ、詐害行為取消権の効果としては、例えば不動産が第三者に無償譲渡されたような場合、判決主文では当該移転登記の抹消登記手続等を求めることとなり、結果的には給付請求になりますので（民法424条の６）、仮処分としては登記請求権保全のための処分禁止の仮処分に該当することとなります。

4　占有移転禁止仮処分の相手方

　占有移転禁止仮処分の保全執行は、（観念的に）執行官が占有を取り上げる方法によりますので、仮処分の相手方（債務者）は、現実に物件を占有している者、**直接占有者**となります。

　したがって、占有補助者（同居の家族、会社の従業員等）がいてもそれを相手方とする必要はありません。

　同様に、間接占有者も相手方とはなりません。例えば、Ａ会社が社宅として借り上げ、従業員Ｙがそこに居住して占有しているような場合、ＹがＡ会社の占有補助者かどうか微妙な部分もありますが、直接占有者がＹと認定できるのであれば、執行官は、Ｙから占有を取り上げる必要があり、現実に占有していないＡ会社を相手方としても執行不能となります。これでは意味がないので、Ａ会社に対する仮処分は認められません。

　どうしても占有者を特定できない特別の事情がある場合、**相手方（債務者）を特定しない形での占有移転禁止仮処分**が認められています（民

保法25条の2）。この場合、まず債務者不明という形での申立てを認めて、これに基づく保全執行によって（執行官が現場に踏み込み、調査して）占有者（債務者。同条2項）を特定することになります。

5　占有移転禁止仮処分の保全執行

第4章26（174頁）で詳しく述べますが、占有移転禁止仮処分の発令を受けたら、保全執行を申立てする必要があります。

この仮処分の保全執行は、執行官によって行われますので、執行官（室）に保全執行（事件番号は「（執ハ）第○号」）の申立てを行います。注意すべき点は、申し立てるべき執行官は、発令裁判所の執行官（室）ではなく、執行すべき場所、すなわち物件所在地を管轄する裁判所の執行官（室）という点です。

以下は、原則形である債務者使用型の仮処分について、大まかな保全執行の流れをお話しします。

申立てを行った後、執行官と打ち合わせを行い、執行日時を決めます。

執行当日、執行時間の少し前に執行官と現地で待ち合わせをし、執行に着手します。なお、債権者またはその代理人の出頭は、執行開始の要件ですので（民保法52条1項、民執法168条3項）、立会は必須です。

執行の手順としては、執行官がまず債務者宅の呼び鈴等を押して、債務者と接触し、来訪の趣旨と占有者が誰であるかの質問や調査（電気料金の領収書を見せてもらう等。民執法168条2項）を行います。ここで、債務者の占有が認められないと、執行不能ということで終わりです。

占有認定ができると、公示書（A4縦の大きさ）を室内に貼ります。当職の経験では、債務者のプライバシーを考慮して、なるべく目立たないところに貼ることが多いです。

公示書を貼ると、一件落着で執行終了です。後日、執行官から申立人に**執行調書**（民執規153条）が送付されます。執行不能の場合で、

占有者の特定ができた場合は、執行調書にその記載がなされることもありますので、二次訴訟の際に、占有の立証に使えます。

債務者が不在の場合（こちらの方が多いと思います）、施錠技術者（鍵屋）に解錠させて（民保法52条１項、民執法168条４項）、室内に入り、占有調査を行います。占有者の認定ができれば、後の手続は同じです。

6　保全執行の費用

占有移転禁止仮処分の保全執行には、結構お金がかかります。

まず、執行予納金として、３万円を予納する必要があります。予納金なので、執行終了後、執行官の手数料を支払った残額は戻ってきますが、数千円程度の戻りになるかと思います。無論、不足していれば追加で予納します。

最もお金がかかるのは、執行補助者（いわゆる執行屋さん）の費用です。執行補助者とは、現場で執行官の補助として、細々とした作業を行う人です。施錠技術者（鍵屋）や立会人（民執法７条）の手配も執行補助者がやってくれます。明渡しの断行執行や建物収去執行のときは、実際の作業員、トラック、保管倉庫や廃棄物処理まで全てしてくれます。

執行補助者は、法律上は必須のものではないのですが、まず執行官から付けてくれといわれますので、「なし」で執行するのは困難かと思います。

この執行補助者の費用ですが、業者によりけりですので明確にいくらとはいえない部分がありますが、施錠技術者や立会人の日当も合わせて、数万円から10万円程度になります。

こうすればよかった

占有移転禁止仮処分を打っておくべきかどうかは、難しい判断です。冒頭お話ししたとおり、占有を移転されないことの方が多く、全く無駄な費用となってしまうおそれがあるからです。

やはり、「事前に占有が移転されるおそれがあるかどうか？」ある

程度のあたりをつけておくべきでしょう。具体的には、債務者の人柄や職業、賃貸中（占有中）の状況等を依頼者から聞き取りし、職業不詳、家賃滞納も度々あった、夜になると出かける、いかがわしい連中が出入りしている等の事情があれば、かなり怪しいので仮処分を打っておいた方が安全といえます。

　また、甲弁護士は物件の下見も行っていません。やはり明渡し等の事件では、一度は下見を行うべきです。その際に、例えば、郵便受けに郵便物が溜まったままになっているとか、荒んだ状況が窺われるという情報が得られることもあります。

　仮処分を打たないと決心した場合でも、依頼者に対しては、途中で占有を移転された場合、もう一度訴訟を提起する必要があること、その場合の費用をどうするかを説明しておく必要があります。

　その場合は、自分自身も、もう１回やるという腹を決めておくことです。

＊ これがゴールデンルールだ！

仮処分は打っておくべき。

不安があるならば仮処分を打つ、打たない場合は、腹を固めて依頼者に説明しておく。

26 2週間を厳守せよ
〈保全執行〉 ・・・・・・・・・・・・・・・・・・・・・・・・・・・・・・・・・・・・・・▶

失敗事例 期間の徒過でやり直し

　甲弁護士は、Ⅹさんを仮処分債権者、Yを仮処分債務者とする占有移転禁止仮処分を受任しました。

　特段問題もなく、9月1日、無事に発令にまで至りました。しかし、タイミングが悪いことに、その後、新件事件が次々と甲弁護士に舞い込み、甲弁護士は多忙を極め、仮処分のことを半ば忘れていました。事件処理もようやく一段落ついたことから、9月20日、甲弁護士は執行官室に占有移転禁止仮処分の保全執行の申立てを行いました。

　しかし、執行官室から、「期限が過ぎているので止めた方がいいですよ。どうしても申立てたいというのであれば受付しますが、却下になります」と言われてしまいました。

　やむ得ないので、甲弁護士は、もう一度Yに対する占有移転禁止仮処分の申立てを行い、発令を受けて、今度は直ちに保全執行の申立てを行い、執行に着手しましたが、1回目の仮処分後にこれを察したYが占有を第三者Zに移しており、Yの占有が認定できないとして執行不能になりました。

　甲弁護士は、今度はZを債務者として、3回目の占有移転禁止仮処分を行う羽目になりました。

解説

1　失敗の原因

　ミスがミスを呼び、ひどい有様になってしまいました。失敗の原因

は、いうまでもなく、**保全執行には 2 週間の期間制限がある**ということを見落としていたことです。期間の徒過という単純ミスですので、懲戒もあり得るでしょう。

　このミスが次のミスを生んでしまってます。保全執行に着手する前に（本件事例ではもう着手すら叶わないですが）、仮処分決定がYに送達されてしまったので、Yは、甲弁護士側の動きを察知することができ、Zに占有を移すという執行妨害を行う余地を与えてしまったことです。

2　保全執行
①　保全事件の全体構造
　保全事件は、大きく 3 つの手続の複合体といえます。
「発令手続」、**「担保手続」**そして**「保全執行手続」**です。

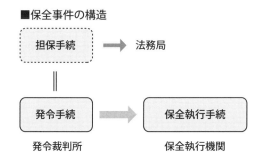

■保全事件の構造

担保手続　➡　法務局

発令手続　➡　保全執行手続
発令裁判所　　　　保全執行機関

　担保を条件に保全命令が発令されるので、発令にあたっては両手続は一蓮托生です。ただ、**終わりは必ずしも一致しません。**例えば、本案で勝訴判決が確定した場合、先行して担保取消（**第 1 章 7**（50頁）参照）を行っておいて、保全命令事件はそのままということもあります。

　保全事件が発令されても、そのままでは単なる紙切れです。

　保全命令の内容を実現するためには、**発令後、保全命令の内容に従い、保全執行手続を行う必要があります。**保全執行手続を行うのが**保全執行機関**であり、裁判所（保全執行裁判所）と執行官がこれ

にあたります。

② **保全執行の方法と執行機関**

各保全命令毎の保全執行の方法、執行機関は、以下のとおりです。

■保全執行の方法と執行機関

保全事件	対　象	執行方法	執行機関
仮差押え	不動産	登記（＊強制管理）	裁判所（管理人）
	債権等	第三債務者への送達	裁判所
	動　産	執行官の占有	執行官
係争物仮処分	占有移転	執行官の占有、公示	執行官
	処分禁止	登記	裁判所
仮地位仮処分	（様々）	（様々）	（様々）

＊　不動産仮差押えの保全執行方法として、強制管理による方法もあります
　が、実務上あまり見かけません。当職の経験の限りでは、やったことも見
　たこともありません。

③ **保全執行の申立てが不要な場合──保全執行機関が裁判所**

上図のとおり、不動産と債権等の仮差押え、処分禁止仮処分の場合、執行機関は裁判所であり、発令裁判所がこれを行います（民保法47条2項、50条2項、53条3項、55条2項）。

細かくいうと、不動産仮差押え、処分禁止仮処分の場合は、書記官が**嘱託で登記**します（同法47条3項、53条3項、55条2項）。

債権等の仮差押えの場合は、書記官が**第三債務者に仮差押決定正本を送達**します（同法50条1項、民執法145条3項、民訴法98条2項）。

以上の手続の場合、発令さえされれば、**発令裁判所が保全執行裁判所となり、後は自動的に保全執行手続が進むので、保全執行の申立ては不要です**。発令手続の申立て自体に、発令を停止条件とする保全執行の申立てが内包されています。債権者は基本的に何もする必要がありません。

- ・　不動産仮差押え（登記のみ）
- ・　債権等仮差押え
- ・　処分禁止仮処分

）保全執行申立て不要

④　保全執行の申立てが必要な場合──保全執行機関が執行官

　　一方、前図のとおり、動産仮差押えと占有移転禁止仮処分は、**保全執行機関が執行官**（民保法49条１項、民保規44条）、より正確には、物件所在地を管轄する裁判所の執行官となりますので、保全命令の発令があっても自動的に先に進みません。

　　執行官に対する保全執行の申立てが不可欠です。

- ・　動産仮差押え
- ・　占有移転禁止仮処分

）保全執行申立て必要・不可欠

⑤　仮地位仮処分の場合

　　仮地位仮処分は、決まった類型もなく千差万別ですが、基本的には本案判決の先取りという性質を有します。よって、その内容（本案判決の主文）に応じて、保全執行の内容・方法が決まります。もっともこの場合、それはなんら本執行に異ならないのではないか、などと当職は思ってしまいます。

　　例えば、賃金仮払いの仮処分であれば、当該決定正本を債務名義として（民保法43条１項）、債務者財産に対する強制執行（不動産強制競売、債権差押え、動産差押え）の形となります。

　　街宣禁止仮処分等の不作為命令であれば、間接強制（民執法172条）の形になります。

　　やることは本執行なのですが、あくまで保全執行ですので、次に説明する期間制限には注意する必要があります。

3 保全執行の行使期間

① 行使期間は2週間

　ここまで細かく保全執行の申立ての要否について説明してきたのは、保全執行を行うには**期間制限があるためです**。

　債権者に保全命令の決定正本が送達されたときから、**2週間以内**に保全執行しなければなりません（民保法43条2項）。

　2週間を徒過した場合、保全執行はできません。決定は紙くずになります。

　保全事件の迅速性と債務者保護がその理由です。

　したがって、動産仮差押え及び占有移転禁止仮処分の場合、決定正本をもらったときから2週間以内に保全執行しないとアウトです。もうその決定正本では保全執行はできなくなるので、**もう1回一から保全命令の申立てを繰り返すこととなります**。

② 2週間内に行うべきこと

　条文上は、「保全執行は……してはならない。」と定めているのみで、保全執行の着手でよいのか、完了まで必要か不明です。

　通説・実務では、執行の着手でよいとされています。

　具体的には、以下のとおりです。

・　動産仮差押え—執行官が目的物の捜索・差押え等の強制行為に
　　　　　出たとき

・　占有移転禁止仮処分—執行官が占有を解くための強制行為に着
　　　　　手したとき

　注意すべきは、**執行官の着手**まで必要ですので、保全執行申立ては、さらにそれより早くしておかなければならないということです。

4 債務者への送達と保全執行

　保全命令の決定正本は債務者に送達する必要がありますが（民保法17条）、保全執行は、その送達前にもできます（同法43条3項）。それはもっともで、保全執行前に決定が送達されたら、手の内がバレて債務者に悪ささされる可能性がありますから。

実務上は、保全執行機関が保全執行裁判所の場合は、登記なり第三債務者の送達が完了した後に債務者に送達を行い、保全執行機関が執行官の場合は、7日間経過した時点で送達を行う運用が多いです。上申すること（遅らせ上申といいます）でさらに7日間延長してもらえる場合もあります。

こうすればよかった

動産仮差押えや占有移転禁止仮処分の場合、発令されたら即日か、遅くとも翌々日までに保全執行の申立てを行うという癖をつけておくべきでした。

また、2週間内に執行着手不能と認識できて、かつ、債務者への決定正本の送達前ならば、直ちに保全命令を取り下げれば、債務者への決定正本の送達を防止することができ、債務者の執行妨害行為を防げました。

なお、本件事例では、保全執行が全くなされていませんので、簡易な方法で担保取戻し（担保取消ではない。**第1章7**参照）が可能です。これは、最低限のリカバリー策です。

✺ これがゴールデンルールだ！

保全執行申立てが必要な場合、保全命令の決定正本をもらったら、即保全執行の申立てを行う。

2週間の期間は絶対遵守する。

27 仮処分を怠ると

〈処分禁止仮処分と登記〉 ‥‥‥‥‥‥‥‥‥‥▶

失敗事例 訴訟がすべて水の泡

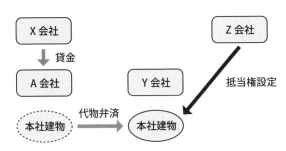

　X会社は、A会社に対し、貸金債権を有していましたが、A会社の財務内容は悪化し、多額の負債を抱え、延滞が続いていました。そのような中、A会社は唯一の資産である本社建物をY会社に過大に代物弁済してしまいました。

　相談を受けた甲弁護士は、「詐害行為取消権でいける！」と踏んで、Y会社を被告として、代物弁済の取消と本社建物のY会社に対する所有権移転登記の抹消登記手続を内容とする詐害行為取消訴訟を提起し、併合してA会社に対する貸金請求訴訟を提起し、無事勝訴判決が確定しました。

　勝訴判決を使用して、所有権移転登記の抹消登記申請を行ったところ、Y会社を抵当権設定者兼債務者とするZ会社の抵当権が登記されており、法務局から、Z会社の承諾書と印鑑証明書が添付資料として必要といわれ、抹消登記はできませんでした。その後、Z会社による担保不動産競売が行われ、売却代金は全額Z会社に配当され、X会社は、結局、無駄な訴訟をしただけで1円の回収もできませんでした。

1 失敗の原因

本件事例の登記情報を模式的に書くと下表のとおりです。

A、Y、Z会社、みんな口裏を合わせて偏頗弁済を図ったのでしょうね。典型的な詐害行為事案です。債権者X会社の対応策として詐害行為取消権の行使は一つのセオリーですが、甲弁護士、一手欠けてました。処分禁止の仮処分を打っておけば、その後にZ会社が抵当権設定登記を経由したとしても、無視してA会社→Y会社間の所有権移転登記の抹消登記、さらには、Z会社の抵当権設定登記の抹消登記もできました。所有名義をA会社に戻せば、A会社に対する債務名義を使って強制競売して債権の回収を図ることができます。

処分禁止仮処分を打っておかなかったことが最大の失敗です。

■本件事例の登記情報

甲区	1	R1.1　A会社所有権保存
	2	R1.2　Y会社所有権移転
	3	R1.4　差押え（Z会社担保不動産競売開始決定）
乙区	1	R1.3　Z会社抵当権設定

2 判決と登記

① 共同申請主義と例外

不動産登記法では、登記により不利益を受ける方を**登記義務者**、利益を受ける方を**登記権利者**といいます。

売買であれば、所有権を失う売主が義務者で、所有権を得る買主が権利者です。そして、登記申請は、**権利者・義務者双方による共同申請が大原則**です（不登法60条）。共同申請することによって、義務者の登記意思を担保する訳です。

この共同申請主義の例外として、権利者のみで単独申請可能な場合があります。典型例は、**相続・合併による登記と確定判決による**

登記の場合です（同法63条）。相続等の場合、登記義務者はすでに死亡等により存在しませんから、単独で申請するしかありません。

また、義務者が登記申請に協力してくれない場合は、単独で申請する方法が必要ですので、確定判決により登記義務者（被告）の登記申請意思を擬制し（民執法177条）、権利者による単独申請を認めています。したがって、登記請求訴訟の主文は、登記官相手の「登記をせよ。」ではなく、あくまで被告相手の「登記手続をせよ。」になる訳です。

② 登記名義と被告

登記申請を行う場合、**登記記録上の登記名義人と申請の際の登記義務者は、一致している必要があります**（不登法25条7号）。したがって、判決による登記申請の場合は、判決上の被告と登記記録上の登記名義人が一致している必要があります。これが異なると登記申請は受け付けられません。正確にいえば、受理されても却下されます。

例えば、訴訟係属中に登記名義が被告Y名義から第三者Zに移転されたような場合、被告Yとする判決では、登記名義と判決の名義が異なりますので登記できません。別途、Zを被告とする判決を得る必要があります。

本件事例では、所有権の名義自体はY会社のままですが、Y会社の登記を前提として、Z会社が抵当権設定登記を経由してます。Y会社の登記を消すと、Z会社の登記も消すこととなるので（親亀・子亀理論）、Z会社は、**登記上利害関係を有する第三者**になります。したがって、Y会社の登記の抹消登記を行うためには、**第三者Z会社の承諾が必要不可欠**で（同法68条）、協力が得られない場合、Z会社を被告とする**登記手続承諾請求訴訟**を提起する必要があります。もちろん実体法上の承諾請求権が認められなければ勝訴できません。

3 登記請求権保全のための処分禁止仮処分

　これまでに述べたとおり、判決が言い渡される前に、より正確にいえば、口頭弁論終結時（基準時）までに登記が動かされてしまうと、判決は紙切れになってしまいます（**第4章25**（164頁）参照）。

　これを防ぐための処分禁止仮処分です。**第4章25**で説明したとおり、仮処分の**当事者恒定効**により、訴訟中に登記名義が移されたり、登記上利害関係を有する第三者が現れても**引き続き被告を相手に訴訟を追行し、確定勝訴判決を得られれば、それを使用して、判決主文に示された登記することが可能です。**第三者の承諾書等も不要です。

4 相対的効力

　処分禁止仮処分の登記がなされても、その後、さらに保全債務者（被告）が移転登記をしたり、抵当権等の設定登記を行うこと自体は妨げられません。

　ただし、**これら仮処分登記に遅れる登記は、仮処分の保全すべき登記請求権に係る登記をする場合には、保全債権者に対抗できませんし**（民保法58条1項）、**保全債権者は、単独で遅れる登記を抹消登記することができます**（同条2項、不登法111条1項、2項）。

　これを**相対的処分禁止**といいます。

　遅れる登記を絶対的に無効とするのではなく、当該手続が行われる範囲で無効とする効力です。

　詳しくは**第2章14**（98頁）で述べましたが相対的効力（手続相対効）は、処分禁止仮処分登記だけでなく、仮差押えおよび差押えにも認められます。(仮)差押登記後でも新たに登記することはできますが、(仮)差押登記に遅れる登記は、後に行われる強制競売等において差押債権者に対抗できず、売却により消滅します（民執法59条2項）。

　相対的効力を本件事例に即していえば、次の表のとおりとなります。

① 処分禁止仮処分登記

甲区	1	R1.1	A会社所有権保存
	2	R1.2	Y会社所有権移転
	3	R1.2	処分禁止仮処分（X会社）
乙区	1	R1.3	Z会社抵当権設定

② 本案勝訴による所有権移転登記・抵当権設定登記の抹消登記

甲区	1	R1.1	A会社所有権保存
	2	~~R1.2~~	~~Y会社所有権移転~~
	3	~~R1.2~~	~~処分禁止仮処分（X会社）~~
	4	R2.1	2番登記抹消
	5	R2.1	3番登記抹消
乙区	~~1~~	~~R1.3~~	~~Z会社抵当権設定~~
	2	R2.1	1番登記抹消

　上記のとおり、仮処分登記後、本案訴訟の確定勝訴判決を使ってY会社への移転登記とZ会社の抵当権設定登記を抹消すれば、A会社名義の裸の物件となり、A会社に対する貸金請求訴訟の判決で強制競売が可能となります。

こうすればよかった

　処分禁止仮処分を事前に打っておけばよかったということにつきます。本件事例では、詐害行為取消訴訟という捻りが入ってますが、詐害行為事案の場合、そもそも債権者を害する行為を行っているのですから、以後も同様の行為が繰り返される蓋然性が大変高いといえる事例です。したがって、少なくとも詐害行為取消権行使事案では、仮処分は不可欠といえます。

　また、仮処分を打たなかった場合であっても、対象物件の登記情報はこまめに取るようにして、本件事例のように訴訟中に物件がいじられた場合は、直ちに対応措置をとることが必要です。

　本件事例に即していえば、Z会社の悪意の立証が可能なようであれ

ば、悪意の転得者（民法424条の5）として詐害行為取消訴訟を提起し、抵当権抹消登記手続を求めることが考えられます（条文の形式から当職は、転得者の悪意が請求原因になると考えます）。

　転得者の悪意の立証が難しい場合は、Ｙ会社に対する登記請求をＹ会社への所有権移転登記抹消登記請求から、Ｙ会社からＡ会社への所有権移転登記請求に切り替えることが考えられます。こうすると、下図のとおり、Ｚ会社の抵当権の負担付きにはなってしまいますが（抵当権の追求効）、Ａ会社に名義を戻すことができ、本件建物に剰余があれば、Ｘ会社にも配当がされる余地が出てきます。

■Ｙ会社からＡ会社への所有権移転登記請求に切り替え

甲区	1	R1.1	Ａ会社所有権保存
	2	R1.2	Ｙ会社所有権移転
	3	R2.1	Ａ会社所有権移転
乙区	1	R1.3	Ｚ会社抵当権設定

✸ これがゴールデンルールだ！

　仮処分は打っておくべき。

㉘ 労働審判より速いかも？

〈仮地位仮処分の使いどころ〉 ·············· ▶

失敗事例 もっとスピーディーな解決があった

> Xさんは、Y会社の正社員です。ある日、Y会社は、Xさんの度重なる業務命令違反を理由にXさんを解雇しました。確かにXさんは、上司からの命令を断ったりしたことがありますが、それは、上司の命令がめちゃくちゃで、しかもパワハラとも思える言動を繰り返したためでした。
>
> Xさんは、不当解雇だと思い、甲弁護士に相談しました。Xさんの気持ちとしては、もうY会社に戻る気持ちはほとんどなく、早期に金銭的解決ができればそれでいいとのことでした。
>
> 甲弁護士は、同期の弁護士が労働審判で早期に和解できたという話を聞いていましたので、特に他の方法を検討することなく労働審判の方針を立てました。労働審判は第1回が勝負と聞いていたので、1ヶ月ほど念入りに準備し、労働審判の申立てを行いました。
>
> 申立てから40日後に第1回審判手続期日が入り、Xさん、Y会社共に調停（和解）の方向で協議を行いましたが、解決金の金額面で調整がつかず、第2回に持ち越しとなりました。2週間後、第2回審判手続期日が入り、この日、無事に調停（和解）が成立しました。
>
> 受任から解決までに要した期間は、約3ヶ月でした。

解説

1　失敗の原因

　失敗事例となっていますが、甲弁護士に特段ミスはありません。労働事件で労働審判を活用するのはセオリーですし、依頼者が和解を希

望している本件事例は、処理方法として労働審判は適合性があります。ただ、もう一つの方法を検討してみてもよかったかもしれません。それは、**仮地位仮処分**（従業員の地位保全・賃金仮払仮処分）です。

和解見込みがあるという前提ですと、仮処分の方が速く解決できる可能性があります。

当職の経験では、東京地方裁判所のケースですが、仮処分申立てから解決（和解）まで50日間というケースがあります。この事案では、債務者（相手方）が比較的大手企業であったため、和解の機関決定に1ヶ月ほどの時間を要したという要因がありますので、迅速な意思決定ができる相手方であれば、さらに短い期間で解決できる可能性があります。

甲弁護士には、仮処分を検討した上で、労働審判と仮処分のどちらが速いかを比較してほしかったとは思います。

2　仮地位仮処分

① 性質

将来の強制執行に備え資産を固定するのが仮差押えです。将来の強制執行に備えて相手方（被告）を固定するのが係争物仮処分です。これらの保全手続は、強制執行の保全のため、その準備手続といえます。

一方、仮地位仮処分（民保法23条2項）は、著しい損害や急迫の危険を避けるため、**暫定的に債権者にとって望ましい状況を作出する**制度といえます。将来の強制執行云々とは全く無関係です。本来は本案判決を取って強制執行すべき事柄を仮処分で前倒しして実現してしまう性質がある満足的仮処分です。

例えば、反社会的勢力から街宣活動を仕掛けられた企業が、街宣活動を止めさせるための街宣活動禁止仮処分などが典型例です。本来であれば、差し止め請求訴訟を提起し、勝訴判決を得るべきでしょうが、判決が出るまで時間がかかり、その間、街宣活動は続き、当該企業には信用毀損という著しい損害が発生する上に、現に行わ

れている威圧的な言動という急迫の危険も継続してしまいます。仮処分であれば、極めて短期に街宣活動の禁止命令が出せる訳です。

　記憶に新しいところとしては、原発再稼働禁止仮処分という例があります。仮処分で原発の再稼働を止められるなんてすごいと思いました。

②　保全の必要性

　仮処分という簡易な方法で債権者に本案判決と同等の結果を与え、その結果として債務者への打撃は極めて大きいものですから、**保全の必要性のハードルは極めて高いです。**

　先ほど話した街宣禁止仮処分ですと、現にガンガンやってる最中程度の急迫性が必要です。収まって数日間が経過しているとなると、またガンガンやられる高度の蓋然性を疎明しないと難しいと思います。

　従業員の**地位保全仮処分**の必要性の疎明はかなりハードルが高く、債権者に持病があり高額の医療費がかかるので健康保険が使えないと困るといったような事情がないと難しいです。賃金仮払仮処分ですと、ほかに収入源もその見通しもなく、資産もないので賃金が支払われないと生活に困窮するという具体的事実の疎明が必要になります。

③　必要的審尋事件

　このように、仮地位仮処分は債務者への打撃が極めて大きいこと、密行性に配慮する必要がないことから、原則として、口頭弁論または債務者が立ち会うことができる審尋期日を経なければなりません（民保法23条4項）。

　仮地位仮処分は、**必要的審尋事件**です。

　実務上は、債権者と債務者双方を同一期日に呼んで、双方審尋します。事案によっては、まず先行して債権者に審尋を行ってから、双方審尋に入ることもあります。

　審尋のイメージですが、弁論準備手続とだいたい同じと考えてよいです。ただし、和解のように、交互に裁判官と面談する形が多い

と思います。

　審尋期日は、申立てから1週間後くらいに開かれることが多いです。長くても、当職の経験では2週間以上先になったことはありません。裁判所、債務者の都合もあるため多少前後することはあるかと思いますが、数日から2週間程度の間に審尋期日が入ることになろうと思います。

④　**和解**

　必要的審尋事件であることが、**仮地位仮処分の一つのメリット**になります。すなわち、**和解が可能**となります。

　保全事件で和解が可能なのか？　という古典的な論点はありますが、実務上、全く問題なく和解しています。むしろ仮地位仮処分のかなりの数が和解によって終了していると思います。

3　仮地位仮処分の種類

① **非定型**

　仮地位仮処分は、先ほど述べた性質からして、非定型であり、様々なものがありますが、実務上、よくある類型をあげると、以下のとおりです。

② **類型**

　ⅰ　抵当権実行禁止（競売手続停止）仮処分

　被担保債権は存在しないのに（争いがあるのに）、担保不動産競売の申立てを受けたので、それを止めるものです。保全担保額は高額です。

　ⅱ　不動産明渡断行仮処分

　土地の不法占有で、その占有自体が（例えば崩壊寸前の廃家屋のように）現実的危険を有しているようなときに廃家屋を取り壊して土地の明渡しを求めるものです。

　ⅲ　賃金仮払い（金員仮払い）仮処分

　本件事例のように、不当解雇された労働者が、解雇無効を理由として賃金の支払を求めるものです。通常、認められる期間は1年間

分です。性質上、担保はなしで発令されることが多いです。

iv　通行妨害禁止仮処分

　私道の通行を妨害する者に対して、その妨害行為の除去を求める
ものです。

v　街宣活動禁止仮処分

　先ほど少し触れたとおり、反社会的勢力等による街宣活動の禁止
を求めるものです。禁止する場所と範囲（半径500メートル等）を
限定する必要があります。性質上、担保は比較的低額で済みます。

　なお、当職の経験ですが、街宣活動が始まってから2週間ほどで
仮処分での和解により解決したことがあります。

vi　面談・架電禁止仮処分

　クレーマー等による執拗な面談要求や電話の禁止を求めるもので
す。性質上、担保は比較的低額で済みます。

vii　建築禁止仮処分

　典型例としては、マンション建築等により日照権を侵害される者
が、その建築の禁止を求めるものです。

viii　出版等禁止仮処分

　名誉・プライバシーを侵害する出版物等の出版等を事前に禁止す
るものです。

ix　投稿記事削除仮処分

　ネット掲示板等に誹謗中傷記事がUPされたときにその削除を求
めるものです。5ちゃんねる等のネット掲示板の場合、サイト運営
者が債務者となりますが、SNS等であれば書き込みした人物が債
務者となりますので、別途、SNS等の管理者に対し、発信者情報
開示請求をする必要があります。

x　発信者情報開示仮処分

　発信者情報開示請求に応じてくれない場合、この仮処分を求める
ことになります。

　なお、令和4年10月1日施行の改正プロバイダ責任制限法により、
発信者情報開示命令手続（非訟手続）が新設されました。引き続き

仮処分も認められますが、発信者情報開示命令によるのがセオリーだと思います。

4　仮地位仮処分の活用法

　先ほどお話ししたとおり、仮地位仮処分は必要的審尋事件ですので和解が可能です。また、審尋期日の指定は、だいたい1週間程度であることから、審理手続は非常に迅速です。

　このことから、**早期に和解したく、かつ、それが見込める場合、仮地位仮処分を利用する方法**が考えられます。

こうすればよかった

　あくまで結果論ですが、甲弁護士が従業員の地位保全・賃金仮払仮処分を行っていたら、本件事例はどう進行したでしょうか？　まず、申立書とその疎明資料の準備にそこまで時間はかかりませんので、受任後、そう時間を空けず仮処分の申立てができます。

　労働事件なので審尋期日までに若干時間がかかるとしてもおよそ2週間後には1回目の審尋期日が入ります。うまくいけば、その場で和解成立です。仮に続行して2週間後に2回目の審尋期日が入りそこで和解できたとしても1ヶ月と数日で解決に至ることとなります。

　労働審判ですと、混んでいる裁判所、例えば東京地裁では、申立てから第1回まで40日あるいはそれ以上の日数が空きます。仮処分であればこの間に終わっていた可能性があります。

　甲弁護士は、仮処分の場合のスピードも検討し、労働審判と仮処分のメリット・デメリットをよく比較した上で手続選択をした方がよかったといえます。

これがゴールデンルールだ！

　仮地位仮処分の使いどころは、早期に和解したいとき。

29 退去請求を忘れるな

〈建物退去土地明渡請求事件〉 ‥‥‥‥‥‥‥‥‥‥ ▶

失敗事例 「この債務名義では執行不能です」

　　Xさんは、自己所有のA土地をYに賃貸（借地）し、Yは、A土地上にB建物を所有し、B建物をZに賃貸（借家）していました。

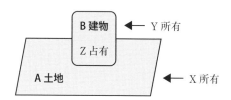

　　そうしたところ、Yは、Xさんに対する地代を1年以上延滞したため、Xさんは、借地契約を解除し、A土地の明渡請求事件を甲弁護士に依頼しました。

　　甲弁護士は、建物収去命令があれば当然にZの排除もできると考え、Yを被告として、B建物収去A土地明渡請求事件を提訴し、欠席裁判で勝訴判決が確定しました。

　　甲弁護士は、この債務名義を使用し、建物収去土地明渡しの強制執行事件を申し立て、明渡しの催告が行われました。ところが、その執行において、Zが占有していることが当然に判明しました。

　　執行官曰く「先生、この債務名義は、建物収去土地明渡だよね。そうすると占有者Zをこの債務名義じゃ排除できないですよ。執行不能にせざる得ないですね」

　　呆然とする甲弁護士でした。

1 失敗の原因

建物を取り壊すこと（建物収去請求）と当該建物の占有者の占有を排除すること（建物退去請求）は、別の概念です。もっとも、建物所有者と占有者が同一の場合は、建物収去土地明渡しの債務名義の中に、建物収去の前提として、所有者の占有を排除することも含まれているので、別途、建物退去の債務名義を取る必要はありません。

しかし、本件事例のように、当該建物を第三者が占有しているような場合は、所有者に対する収去明渡しの債務名義の効力は、第三者には及ばないので、当該第三者に対する別の債務名義、**建物退去あるいは建物退去土地明渡し**の債務名義が必要となります。

これがない以上、第三者の占有が存在するままで建物の取り壊しなどできる訳もないですから、建物収去土地明渡執行は、執行不能とならざるを得ないのです。

2 明渡執行の類型

不動産に対する明渡しの執行、その前提となる訴訟は、建物の有無や占有者の態様により、いくつかに類型化できます。

① **土地明渡し**

更地の明渡しを求めるシンプルなものです。例えば、Xが電力会社Yに土地を貸し、Yが太陽光発電パネル（土地の定着物でなく、一般的に動産として扱われます）を設置して占有している土地の明渡しを求めるような場合です。

■更地の明渡しを求める例

この場合には、Yを被告として、**土地明渡訴訟**を提起し、**土地明**

渡しの強制執行（民執法168条 1 項）を行うこととなります。もし、Yのほかに占有者がいる場合は（共同占有）、当該占有者も被告にして債務名義を得ておかないと執行不能となってしまいます。

　土地上にある太陽光パネルは、**目的外動産**となりますので、これを取り除きYに引き渡すことになります（同条 5 項）。Yにその場で当該パネルを引き渡せず、ほぼ無価値の場合は、その場で売却することができます（同項、民執規154条の 2 第 4 項）。Yが引き取りもせず、その場で売却しない場合は、一旦保管し（民執法168条 6 項）、一定期間内にYが引き取らない場合は、動産執行の例によって売却します（民執規154条の 2 第 1 項）。

　この売却代金は、売却と保管に要した費用に充当し、おつりがあれば供託します（民執法168条 8 項）。

　なお、保管費用は、債権者が予納しなければなりません。もちろん執行費用として（同条 7 項）、債務者に請求できますが、通常は債務者の資力が乏しく回収できません。

② **建物明渡し**

　単純に建物の明渡しを求めるものです。例えば、XがYにマンションの一室を賃貸し、Yが居住して占有している建物の明渡しを求めるような場合です。

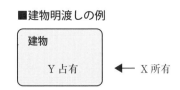

■建物明渡しの例

　この場合は、Yを被告として、**建物明渡訴訟**を提起し、**建物明渡しの強制執行**（民執法168条 1 項）を行うこととなります。

　Y以外に占有者がいた場合ですが、それが独立の占有を有しない、Yの**占有補助者**と認定できる限り、Yに対する債務名義で執行可能です。具体的には、Yの家族（配偶者、親、子等）やYが法人の場合の従業員等です。

目的外動産の取扱については、土地明渡執行と同様です。

　なお、具体例ではマンションの一室としましたが、例えば、一戸建ての家屋を敷地付きで賃貸していたような場合で、敷地に対する相手方の占有も認められる場合は、**建物明渡請求に加えて、土地の明渡請求も必要**になります。

③　建物収去土地明渡し

　本件事例のように、**借地権の場合の明渡し**です。借地権ですから論理的前提として、借地権者は建物を所有していることになります。

■建物収去土地明渡しの例

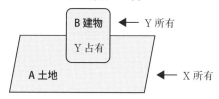

　この場合、所有者が求めるのは土地の明渡しです。しかし、土地上に不動産（建物）が存在し、土地明渡しのみでは目的外動産として建物排除はできません。

　また、土地明渡しは、与える債務であり、直接強制可能ですが、建物収去は、代替的作為義務であり、執行方法が**代替執行**となり（民法414条）、執行方法が異なってきます。

　そのため、この場合は、Yを被告として、**建物収去土地明渡訴訟**を提起し、**建物収去土地明渡しの強制執行**（民執法171条1項1号）を行うこととなります。「収去明渡し」という形態です。

　これは理屈の問題となりますが、収去明渡請求の訴訟物は、実務上1個と考えられ、それが通説です。この場合の訴訟物は、所有権に基づく土地の明渡請求権と考えられますが、これだけでは建物取り壊しという代替執行ができません。この執行法上の制約をいわば回避するため、明渡請求に建物収去という執行方法を付加し、明示していると考える訳です。

　したがって、請求の趣旨は、「建物を収去し、土地を明け渡せ」

となり、収去明渡執行は、下記AとBの融合形態といえます。

A　物の引き渡しを目的とする直接強制としての明渡執行

B　代替的作為義務である建物収去の代替執行として収去執行

Bの収去執行は、代替執行によりますので、収去明渡しの強制執行申立ての前に、執行官室に**授権決定**（建物収去命令）を申立てし、その決定を得ておく必要があります（民執法171条）。東京地裁の場合、この授権決定の申立ては、民事第21部代替執行係（令和4年4月1日から目黒の民事執行センター）で行います。

④　**建物退去土地明渡し**

まさに本件事例のケースです（事例内の図参照）。借地上の建物の占有者が、建物所有者Yではなく、ZがYから賃借して建物を占有しているような場合です。

この場合、土地所有者Xが、土地の明渡しを求めるためには、上記③で述べたとおり、まず、「建物所有・土地占有」のYを被告として、建物収去土地明渡訴訟を提起するのは当然として、これに併合する形で、「建物占有」のZを被告として、**建物退去土地明渡訴訟**も提起する必要があります。

解説冒頭で述べましたが、Yに対する収去明渡しの債務名義では、その執行力はこれとは独立して建物を占有しているZに及びません。ですので、Zに対する債務名義が別途必要になります。そのための請求として、「建物明渡し」は、使えません。なぜかといえば、「明渡し」とは、債務者の占有を解いて、空き家にして、債権者に引き渡して、債権者に事実支配を移す執行方法ですが、土地所有者Xは、建物を所有しておらず、その他、**建物に対し何らの権原を有していません**から、建物の占有を移してもらういわれが全くないためです。

そうすると、占有を解いて、空き家にするだけの執行方法があれば、それで目的は達成できる訳で、この執行を**退去執行**といいます。

　この退去を求める請求が、退去請求です。実務的には、借地上の建物の占有者は、建物だけ占有している訳ではなく、その敷地（底地）も「庭」として使用し、占有しているでしょうから、建物退去土地明渡請求の形をとるのが普通です。したがって、**「退去明渡し」**という形態になります。

こうすればよかった

　甲弁護士は、建物占有者Ｚの存在を把握していたのですから、Ｙに対する建物収去土地明渡訴訟に、Ｚを被告とする建物退去土地明渡訴訟を併合提起しておくべきでした。

　明渡訴訟では、現実に誰が占有しているのか、執行にあたってその排除の要否、方法等を綿密に検討しておく必要があります。それを怠ったことが甲弁護士の失敗です。

　なお、リカバリー方法としては、Ｚを被告として、退去明渡訴訟を改めて提起し、その債務名義を得た上で、Ｙに対する債務名義と併せて、収去明渡し、退去明渡しの強制執行の申立てをすることが考えられます。もちろんオプションとして占有移転禁止仮処分も検討します。

これがゴールデンルールだ！

　退去明渡請求という類型を頭に入れておく。提訴前に、占有者の認定と執行方法・訴訟類型をしっかり検討しておく。

執行の費用は高い

〈明渡しの執行と費用〉 ·····························▶

失敗事例 見積書の数字に目が点

＊本節は、第4章29（192頁）と併せてお読みください。

（第4章29からの続き）

　その後、甲弁護士は、Zに対する建物退去土地明渡請求訴訟を提起し、無事に勝訴判決が確定し、債務名義を得ることができました。

　甲弁護士は、Yに対する建物収去命令（授権決定）を得た上、YとZ、それぞれに対する債務名義を使用して、建物収去、建物退去土地明渡しの強制執行を申立てしました。

　明渡催告の日を迎えましたが、実は、甲弁護士が現地に行くのはこの時が初めてでした。現地を見ると、大型車の通行は難儀しそうでした。また、建物内を見た執行官曰く、「けっこう家財道具（目的外動産）が多いですよ」とのことでした。

　その後、執行補助者と甲弁護士は、断行執行の打ち合わせを簡単に行いましたが、執行補助者からは、こう言われました。

　「先生、4トン車が入れないんで2トン車のピストン輸送をするしかないし、私も中を見ましたが、けっこう動産類がある。実際問題、搬出して保管しなければならない。結構お値段かかりますよ」

　その後、執行補助者から見積書が送付されてきましたが、その金額を見て甲弁護士は驚きました。予想していた金額の数倍だったのです。

　甲弁護士は、Xさんに見積書を見せて相談したところ、Xさんからは、「用立てられる金額じゃないので、いったん保留します」と言われてしまいました。

　甲弁護士は、執行申立てを取り下げざるを得ませんでした。

1 失敗の原因

　明渡執行にはお金がかかります。特に建物収去となりますと、解体費だけで数百万円のオーダーに達することがあります。しかも、初版執筆当時（令和2年1月）においては、東日本大震災の復興需要と2020東京オリンピック・パラリンピック開催に伴う建設ラッシュ等で、その後も円安、人手不足等により、人件費・資材費・廃棄物処理費が高騰し、執行費用も極めて高額化しています。

　当職の経験です。作業の難易度や残置動産の量等が異なるので一概にいえない部分はありますが、同規模の一軒家で、平成の中頃には250万円程度だったものが、直近では、600万円を超える案件もありました。

　借地物件の収去明渡しですと、執行が終われば土地を有効活用できるのでそこでの利益を見込めはしますが、依頼者からするとかなり多きな経済負担となりますので、躊躇するケースもままあるかと思います。

　本件事例では、かかるものは仕方ない面がありますので、甲弁護士に大きな失敗と呼べるものはありませんが、依頼者ともう少し綿密に事前打ち合わせをしておいた方がよかったでしょう。

2 明渡執行の流れと費用

① 執行文の付与申立てと授権決定（建物収去命令）の申立て

　本件事例では、**第4章29**で取った収去明渡しの債務名義と退去明渡しの債務名義があります。これらに執行文の付与を受けるのはセオリーとして（**第2章12**（86頁）参照）、収去明渡しに関して**授権決定**（建物収去命令）も得ておく必要があります（**第4章29**参照）。

　収去命令の申立て自体は簡単です。所定の書式の申立書1枚と執行力ある債務名義正本、同送達証明書それに建物の登記事項証明書を添付して申立てすればOKです。

一応、債務者の審尋が必要になりますが（民執法171条3項）、通常は、書面審尋の方法で行います。

　ここまでで、手数料（印紙代）、予納郵券等で数千円かかります。

② 執行申立て

　①の手続が完了しますと、執行官室に執行申立てをします。

　この申立て自体も簡単です。所定の書式の申立書に執行力ある債務名義正本、同送達証明書それに債務者調査票を添付します。収去明渡しの場合は、これに加えて、授権決定正本、同送達証明、同確定証明書を添付します。

　本件事例に即していうと、申立書自体は、Yに対するものとZに対するものの2通ですが、執行事件的には、以下4件の執行事件（執ロ）が係属し、各欄の**執行予納金**がかかります（東京地裁の場合令和6年9月現在）。

i　Yに対する建物収去執行　　　　基本額6万5000円

ii　Yに対する土地明渡し執行　　　加算額4万円

iii　Zに対する建物退去執行　　　　加算額4万円

iv　Zに対する土地明渡し執行　　　加算額4万円

　予納金ですから、執行官の報酬等支払った後に残余があれば返還されますが、申立てにあたっては、18万5000円ほどかかることになります。

③ 執行補助者への依頼

　通常は、上記申立ての前に執行補助者に執行補助の依頼をします。そうしておきますと、執行官との面接等の手続を全て執行補助者がしてくれます。

　第4章25（164頁）でも述べましたが、執行補助者は法令に定められているものではなく、必須のものではありませんが、付けていないと執行官から付けてほしいといわれることがほとんどです。

　明渡しの断行執行や収去執行ですと、現実に作業する人や保管場所の確保、その運搬、廃棄物の処理等の実務的作業が必要になりますし、単に作業をすればよいという訳ではなく、極めて短時間に、

民事執行法に従った処理をする必要があります。そうしますと、手慣れている執行補助者を頼んだ方がいろいろな面で便利だと思います。

④　明渡しの催告

　執行の手順として、まず、**明渡しの催告**をします（民執法168条の２第１項）。これは、引渡しの期限（同執行の１ヶ月後）を定めた上で(同条２項)、まず債務者に任意の明渡しを催告するものです。当職の経験では、この催告をすることで、かなり多数のケースでは、任意に明渡し（引っ越し）してくれますので、次項⑤に述べる断行執行では、残置動産の搬出程度で済むことが多いです。

　執行の手続としては、まず債務者の占有を認定します。債務者が在宅していれば、聞き取り等を行いますが、不在の場合も多いです。その場合は、不在でも解錠し建物の中に入って所要の調査を行います（同法168条２項、４項）。よって解錠技術者（カギ屋）の事前手配は必須になります。

　債務者の占有認定ができたら、占有移転禁止仮処分のように、占有移転が禁止されていることと引渡期限が記載された公示書を執行場所に掲示します（同法168条の２第３項）。この公示には、占有移転禁止仮処分と同様に、一種の当事者恒定効が認められます（同条６項）。

　また、債権者またはその代理人の出頭が必要です（同法168条３項）。債権者代理人として事務員でも可能ですが、現場での判断を求められることもあるので、基本的に代理人弁護士が立ち会う方がよいでしょう。

　この明渡しの催告では、執行補助者に支払う費用として、補助者および解錠技術者一人当たり２～３万円の日当と、実際に解錠した際の手数料等が必要になります。最低でも５万円程度は必要になります。

⑤　断行執行

　前項の引渡期限が経過すると、いよいよ断行執行（現実に占有を

排除したり、建物の取り壊しを行うこと）を行うこととなります。断行執行の日は、明渡催告の際に、執行官および執行補助者と打ち合わせして決定することが多いです。

　執行が始まると、まず債務者の占有認定を行い、占有が認められると実際の作業が始まります。建物内や敷地内にある残置動産類（目的外動産）をまず搬出します。この際、債務者等が立ち会っていて引き渡せるのであれば動産類を引き渡し、それができない場合は、高価品でない限りその場で売却することもできます。（民執法168条5項・6項、民執規154条の2第3・4項）。現実的には、執行官が無価値物と判断したり債務者から動産の所有権放棄書が出ていれば、債権者に処分を委ねますので、執行補助者（の手配する業者）が廃掃法に従って、処分します（中間処理施設に搬入する）。

　高価品がある場合、占有補助者の（手配する）倉庫に搬入し、動産執行の例によって売却します（民執法168条6項、民執規154条の2第1項）。

　動産類の搬出が終わると、建物明渡執行のみの場合は、鍵を取り替えて執行終了です。

　明渡執行のみであれば、即日終了させるのが基本です。

　収去執行の場合は、この後、執行補助者が（手配した）解体業者が解体作業を行います。即日解体は無理ですから、1週間から10日ほどかけて解体作業を行い、建築廃材は、廃棄物の処理及び清掃に関する法律に従って、処分します（中間処理施設に搬入）。解体が終わって更地になると、最後の確認として、執行官と債権者（または代理人）が立ち会って、執行終了を確認して（執行調書原案に署名押印して）終わりです。

　さて、断行執行にかかる費用ですが、だいたいの相場観（令和6年9月時点）は以下のようになります。この単価に、おおよその数量を掛ければアバウトな見積もりはできるかと思います。

- 　執行補助者、解錠技術者　　　　　2万5000円／日
- 　搬出作業員　　　　　　　　　　　2万円／日〜

・ トラック（2トン）	2万円〜4万円／台
・ 廃棄物処分費	1万3000円／㎥〜
・ 解体費	3万円〜6万円／坪

　床面積40坪ほどの一軒家でおよその積算をしてみると、明渡執行で、作業員が10名程度、残置動産類が20㎥ほど、2トントラック2台、執行補助者、施錠技術者の立会がそれぞれ1日とカウントすると、60万円程度、これに諸費用が入りますので70万円程度にはなるでしょうか。

　収去執行をすると、解体費だけで120〜240万円にもなります。

こうすればよかった

　断行執行ですから、実際に敷地、建物に踏み込み、中を見てみないことは確定的なことは分からないという面があることは否めないので、仕方がない部分もあります。

　ただ、甲弁護士が執行当日まで現場に行ったことがなかったという点はいただけません。現地を見れば、道路付けや建物、敷地の現況は、把握できますから、その段階で、執行作業がスムースに行くか、阻害要因はないか等、ある程度目星をつけて、現実にかかる執行の費用を見積もることはできたでしょう。また、執行申立ての前に、執行補助者から費用の見積もり取っておくことも考えられました。執行補助者もプロですから、アバウトとはいえ金額を出すことはできたと思います。これらの見積もりを得た上で、依頼者と相談して、執行を実施するかどうか検討すればよかったでしょう。

　究極的には、前述のとおり、まず執行の費用を考えた上で、訴訟提起するかどうかを判断すべきであったといえます。

※ これがゴールデンルールだ！

執行にかかる費用は、かなり高額になる。これを念頭に置いておく。

●著者紹介

野村　創（のむら・はじめ）

〈略歴〉

　1993年　明治大学文学部史学地理学科地理学専攻卒業　法務省入省

　1995年　司法試験合格

　1998年　弁護士登録（第二東京弁護士会）

　2009年〜2011年　司法試験考査委員（行政法）

〈主要著書〉

単著

『事例に学ぶ保全・執行入門』（民事法研究会、2013年）

『失敗事例でわかる！　民事保全・執行のゴールデンルール30』（学陽書房、2020年）

『事例に学ぶ行政事件訴訟入門［第2版］』（民事法研究会、2021年）

『実務の悩みに答えます！　民事保全・執行　まるごとQ＆A』（学陽書房、2023年）

共著

『Q＆A 改正担保・執行法の要点』（新日本法規、2003年）

『事例に学ぶ離婚事件入門』（民事法研究会、2013年）

『事例に学ぶ債務整理入門』（民事法研究会、2014年）

『事例に学ぶ相続事件入門』（民事法研究会、2015年）

『行政書士のための行政法［第2版］』（日本評論社、2016年）

『事例に学ぶ労働事件入門』（民事法研究会、2016年）

『事例に学ぶ交通事故事件入門』（民事法研究会、2016年）

『事例に学ぶ契約関係事件入門』（民事法研究会、2017年）

『行政書士のための労働契約の基礎』（日本評論社、2017年）

『事例に学ぶ損害賠償事件入門』（民事法研究会、2018年）

『リサイクルの法と実例』（三協法規出版、2019年）

『行政書士のための要件事実の基礎［第2版］』（日本評論社、2020年）

『失敗事例でわかる！　離婚事件のゴールデンルール30』（学陽書房、2021年）

『失敗事例でわかる！　民事尋問のゴールデンルール30』（学陽書房、2023年）

失敗事例でわかる！
民事保全・執行のゴールデンルール 30〈改訂版〉

2020 年 3 月 10 日　初版発行
2024 年 10 月 17 日　改訂版初版発行

著　者　　野村　創
（の む ら　はじめ）

発行者　　佐久間重嘉

発行所　　学陽書房

〒102-0072　東京都千代田区飯田橋 1-9-3
営業／電話　03-3261-1111　FAX　03-5211-3300
編集／電話　03-3261-1112　FAX　03-5211-3301
http://www.gakuyo.co.jp/

DTP 制作・印刷／精文堂印刷　製本／東京美術紙工　装丁／佐藤 博
©Hajime Nomura 2024, Printed in Japan
乱丁・落丁本は、送料小社負担でお取り替え致します。
定価はカバーに表示しています。

ISBN978-4-313-51177-4　C2032

「今さら聞けない疑問」「実務の悩み」 ざっくばらんに解説します！

保全・執行に苦手意識がある弁護士のために、条文・制度のはじめの一歩から、丁寧に解説する超入門本！　基本から実務の勘所まで、66個の質問が1冊に！

実務の悩みに答えます！ 民事保全・執行 まるごと Q & A

野村 創 ［著］
A5判並製／定価3,300円（10%税込）

紛争・トラブルを防ぐ
レビューの極意！

「一般条項にまつわる失敗」「業務委託契約にまつわる失敗」「Ｍ＆Ａ契約にまつわる失敗」など、やりがちなミスをもとに、ノウハウを解説！

実務の落とし穴がわかる！
契約書審査のゴールデンルール30

松尾剛行 ［著］
A5判並製／定価3,520円（10％税込）

上手い尋問と下手な尋問の違いとは？

経験豊富な弁護士が持っている 30 の暗黙知！ 「主尋問」「反対尋問」「陳述書」「専門家質問」「異議の出し方」などの様々な失敗事例を基に、失敗の原因と、効果的な尋問例を解説！

失敗事例でわかる！
民事尋問のゴールデンルール
30

藤代浩則・野村 創・
野中英匡・城石 惣・田附周平 [著]

立証がブレず、相手を逃さない、
実務の基本作法！

学陽書房

失敗事例でわかる！
民事尋問のゴールデンルール30

藤代浩則・野村 創・野中英匡・城石 惣・田附周平 [著]

A5判並製／定価3,300円（10%税込）